第2章 2020年のコロナ禍、大統領選前後のアメリカ社会の分断 83

第3章

アメリカの医療、オバマケア、保険、黒人、生活保護、移民、大学の現実

第4章

日本で報道されなかったアメリカの大統領選とメディアの偏向報道 177

第5章

「検閲」を始めたソーシャル・メディアの暴走と、米国新型コロナ事情

第6章

今後のアメリカの行方、コロナ後のトレンド、そして日本は？

番外編

私とアメリカとの関わりと、日米交流活動

序　章

2021年初頭、アメリカと世界は大きな激動期を迎えている

2020年11月3日の大統領選以後、現在、アメリカ国内は混迷の真っ最中にある。

2020年3月、武漢発の新型コロナウイルスの感染拡大により、世界的にロックダウンが行われた。世界最大のコロナ陽性者と死亡者を出しているアメリカは、その後黒人差別抗議運動に端を発した極左過激組織や暴徒による破壊活動が勃発し、一気に大鳴動が起き出した。これを見て、私は2020年夏、アメリカはすでに内戦状態に入ったと確信した。そして、2021年1月6日の上院・下院合同会議での騒乱を見て、アメリカは本格的な内戦に入る可能性があると考えている。

アメリカでは、バイデン新大統領が誕生した。

しかし、彼ほど権力基盤が弱い大統領も最近珍しいだろう。これが40年近くこのアメリ

カで大統領選挙を見てきた私の素直な感想だ。

事実から言おう。

2020年の大統領選でトランプに投票した有権者数は7500万人に上る。歴代のどの大統領の投票数より多く、2016年の大統領選から約1200万票近く投票者数を増やした。

ラスムッセン・レポートでは、2021年1月初頭、48％の有権者は「バイデン政権は不正選挙によって選ばれて正当性がない」と考えている。また、上下院合同会議の乱入事件のあった1月6日の翌日にも48％の有権者はトランプを支持している。その中の35％はトランプを「強く支持している」。

2020年大統領選の中で起きてきた数多くの不正選挙の疑いは、ほぼすべての民主党支持の大手メディアでその報道がブロックされてきた。しかし、今後のトランプ支持者たちの不正選挙に対する静かな怒りは、次第にうねりのように全米各地での大きな抗議行動につながっていくと予想される。そして、それらトランプ支持者たちの怒りの蜂起に対抗する過激左派との直接的な武力衝突が、これも全米各地で起きる可能性がある。私が危惧するのは、「アメリカの本格的な分断と内戦開始」である。

2020年11月3日、大統領選挙が終了し、12月には合衆国憲法に違反したとして不正選挙疑惑のある4州に対して、テキサス州と他18州が最高裁に訴訟を起こした。これらテキサスなど南部の州や内陸部州には、ニューヨークやロスアンジェルスに住む人々とはまったく価値観の違う人々が住んでいる。いまだ街中で銃を腰に差し、日曜日には必ず教会に行く。古き良きアメリカの伝統的価値観を重視し、ヤンキー魂を維持している人たちも多い。

今後、バイデン政権になって彼らは、バイデン民主党が進めるさまざまなリベラル左派の政策には真っ向から反対していくとみられる。

そして、その軋轢がマグマのように沸騰点に達した時、トランプ支持陣営がバイデン民主党政権に反旗を翻して、テキサスをはじめとする自陣営の州政府を動かし、それらの陣営の州政府が連邦政府への不服従を表明し、最終的には米国連邦政府からの離脱を宣言する可能性さえあるとの最悪の予想も出ている。

アメリカの南北戦争以来の分裂の危機が起きる可能性だ。

その時、この南部を中心とした保守州の熱烈なトランプ支持者たちはトランプをかついで、新たに新党を立ち上げる可能性も否定できない。もしそうなれば、新党の名前は「America First Party（アメリカ第一党）」だろう。

この両勢力の闘いは、「グローバリスト」対「草の根愛国者」との闘いとも言える。

民主党が以前のような庶民の代表の党ではなくなって久しい。民主党は、ウォール街の巨大な国際金融資本、大メディア、そして新しいオリガーキー（寡頭制）であるグーグルやフェイスブックなど、すでに独占体制を確保しているソーシャル・メディア会社から巨額の選挙資金を受けているグローバリストの利益を代表する政党になっている。

対して、長く中小企業事業主や保守層ミドルクラスを基盤としていた共和党は、トランプが政権を取ってから、ワーキングクラス、黒人、ヒスパニック系、アジア系という多くのマイノリティを支援者に加えた新しい形の党に変わってきた。数多くの草の根保守や愛国者が支援者の中心になってきている。

つまり、トランプ政権では、ミドルクラスとワーキングクラス、中小企業、マイノリティー保護の政策が行われてきたが、オバマ政権で優遇された大企業、大手メディアやテックカンパニーの富豪層は冷遇された。しかし、バイデン政権誕生でこれら大企業、富豪層、エリートたちが一気に息を吹き返すだろう。民主党は、基本的に「大きな政府」で、新政権は巨額のバラマキを行うとすでに明言している。

この本のタイトルの『「アメリカ」の終わり』であるが、このタイトルは2020年の年末に編集者と相談して考えた。その時は大統領選が終わり、バイデンは勝利者宣言を出したが、トランプは敗者宣言を出していなかった。その最大の理由は、各激戦州で上がってきた多くの郵便投票を中心とする不正投票疑惑であった。その不正選挙の手口の多さと、3000人に及ぶ宣誓供述した人々の証言を聞いて、唖然とした。

そして、これはアメリカ合衆国の大基である合衆国憲法への挑戦であり、そしてアメリカの体現してきた「自由主義」「民主主義」そして「公正な選挙」が終わってきたと感じたのである。その意味で鍵カッコをつけた『「アメリカ」の終わり』がすでに始まったと判断した。どちらかの候補が勝ったから、アメリカが終わったという意味ではない。

現在、私たちはアメリカの政治・社会の大変動の真最中にいるわけだが、私はその激動の中で翻弄されてきた現代アメリカの「声なき人々」に関心を持ってきた。

この本では、現在アメリカにいる「忘れられたアメリカ人」に注目してみたいと考えている。２０２０年５月から大都市を襲った暴動では、数多くの中小の個人商店が略奪され、放火された。

彼らは人種差別反対運動とは何の関係もない一般市民たちである。それら何千もの小店舗を、暴徒は襲撃し、略奪を繰り返した。彼らの声を伝えるメディアはほとんどなく、その存在は忘れられているかのように見える。

しかし、この彼らの受けた被害は、けっしてアメリカで忘れられることはないだろう。そして、それに対して何もせず傍観を続けてきたバイデン民主党の不作為に対しても、人々は忘れないだろう。どこかで彼らの声は、マグマのように今後のアメリカ社会で吹き出してくるのではないか。

２０２1年、バイデン新政権が誕生したことで、日本は西側世界の中で最も米国と近い国の一つとして、今後の外交、防衛、経済政策の対応には大きな変化が起きる可能性がある。

それについての私の考察もこの本で述べてみたい。

私は１９８０年にシカゴへ渡り、イリノイ大学でジャーナリズムを専攻し、卒業後はニューヨーク野村證券で米国株トレーダーとして多くの米国企業や産業動向をカバーしてきた。その後起業してからは30年、いくつもの日米企業のブランド立ち上げと流通分野でマーケティング関連のビジネスを行ってきたが、私自身米国を専門分野とする学者でもジャーナリストでもない。

ただ、一人のビジネスマンとして日米間を年に三、四度往復する生活を長く行ってきた中で、その時々に感じてきた日米の違い、とくに日本人には絶対に理解できないいくつもの米国社会の医療、貧困、移民、日常生活の問題など、日本メディアではまるで報道されることのないアメリカの「現実」をこの本では示してみたいと考えている。

アントニオ猪木さんだったろうか、彼曰く「日本にだけにずっといると日本が見えなくなり、日本を離れてみると逆に日本がよくわかるようになることがある」と。私も日本に滞在している時期アメリカのいい点、欠点がさらによく見えることがあったし、逆にアメリカにいることで日本人が気づかない日本のよさや弱点がよけいに見えるといった経験が幾度もある。

この本では、それらの私の素直な感覚を大事にして語ってみたいと思う。つまり、あくまで私の「視点」を通して見た現代アメリカの「現実」を切り取って読者諸氏に提供したいと思っている。

私は80年代にシカゴの大学でジャーナリズムを専攻して以後、ずっと強い興味を持って米国メディアをウォッチングしてきたが、とくに日本メディアが米国の政治、社会問題などを報道する時に、あまりに米国の実態とかけ離れた偏向ニュースが多い、というのがここ最近の素直な感想である。なぜ、このようなことが起きているのか？

一つには、私の持論でもあるのだが、日本のＮＨＫや大手新聞を含め大手メディアはだいたい、ニューヨークやワシントンDC、ロスアンジェルスなどに特派員を派遣する。アメリカはブルーステート（民主党の強い州）とレッドステート（共和党の強い州）とかなりはっきりと色分けされる。そして西海岸と東海岸の両沿岸部には、非常に民主党の影響力が強いブルーステート州が揃っている。

記者がもしそれらの地域でだけ取材していると、残りのアメリカの大半の州のある中西部、南部、西部などの巨大な人口を持つ州の住民たちがどのように考えているのかがまったく反映されないということが起こる。

さらにこれら日本のメディアの大半が引用する米メディア媒体は、ニューヨーク・タイムズ紙、ワシントン・ポスト紙、テレビでいうとCNNに始まり、老舗3大ネットワークのCBS、NBC、ABCなどだ。これら主要メディア（Mainstream Media）のほぼすべてがきわめてリベラルで、左派的編集方針を維持していることは日本ではあまり知られていない。

簡単に言うとすべて民主党系であり、反トランプ、反保守系メディアであるということである。米大手メディアで現在保守的見解を維持している媒体は Fox News のみと言っていい。

1980年代、私が米国のメディアの観察を始めた時代と、現在のメディアには大きな違いがある。現在、米メディアでは、多くのフェイクニュースや偏向ニュースが頻繁に報道されてきたことで、大勢の一般市民たちがメディアの報道姿勢を疑問視し始め、ついには報道の多くを信用しなくなってしまった。

これはさまざまな統計で現れている。例を一つ挙げると、2016年の大統領選時に「共和党支持者はメディアを16%しか信用していない」というギャラップ調査の統計が出ている。大手メディアじたいの信用度が大幅に低下している。大きな理由の一つに、現在世界的に大きくその影響力が広がってきたソーシャル・メディアの存在がある。普通の市民たちが自身の選択で情報ソースを選び、それを元に自分たちの意見を形成するという以前ではまったく考えられない時代が到来しているからだ。

第1章では、現代アメリカの表舞台でほとんど取り上げられることのない「忘れられたアメリカ人」たちの声にならない声、すでに絶望を通り越してしまった人々の叫びを描写した。

第2章では、2020年に起きた黒人容疑者への白人警官の逮捕時の発砲や不適切逮捕によって全米を襲った暴動や略奪の背後で、実際何が起きていたのかを取材した。

また、第3章では、アメリカの医療、保険、貧困、生活保護、黒人、移民、ユニオンなどの「現実」が、いかに日本の大手メディアを通して日本に伝わっている「情報」とは相当に違うかという実例をいくつか紹介したい。これだけテレビ、新聞、雑誌、インターネット等さまざまなチャンネルから世界中で起きている情報が瞬時にわかる時代で、まさかそんなことがあるのかと思う方が大半だろう。

第4章では、2020年の大統領選が米メディアではどのように報道されてきたか、また大統領選前とその後には実際にはどのような動きが起きていたのか。また大手主要メディアは、「何を報道してきたか」そして「何を報道してこなかったのか」を検証した。

これによって、2020年最大の敗者は「メディア」であったという意見が多く出てきたその背景がわかるかと思う。

第5章では、ここ最近急速に政治、社会、経済とあらゆる場面で巨大な影響力を持ち始めたソーシャル・メディア会社の問題を取り上げた。フェイスブック、ツイッター、グーグルなど第三者にプラットフォームを提供するこれらの会社は2020年の大統領選挙を契機に、自社が応援する政治的陣営に有利になるような数々の「検閲」を行い始めた。これによってこれら巨大な会社に成長したシリコンバレーのテック・カンパニーに大きな批判が起きてきた。

また、アメリカの新型コロナに対するトランプ政権のとった政策と、米国コロナ事情の一端を紹介したい。

第6章では、2021年の今後の米国政治と社会の見通しを探っている。2020年3月から始まったロックダウン以降、人々のライフスタイル、働き方は大幅に変わってしまった。現在、アメリカや日本でも新型コロナウイルスの第3波が来ていると言われる。その中で、今後も継続していくトレンドがあるのではないかということをいくつか米国でのデータをもとにして示してみたいと思う。

　また、最後にこの新しい世界で、今後の日本がどのような立場を取るべきかについて、私なりの考察も示してみたい。


　私は、渡米した1980年から、常に日本人としてのアイデンティティをはっきりと意識しながら生きてきた。長く空手を続けていることもその一つである。大学時代は、シカゴの極真会館シカゴ支部長をされていた三浦美幸師範の下で四つの道場の指導を任されてきた指導員として、また全米大会のトーナメントファイターとして過ごした。その6年間は私の一生の宝物である。

　私のアメリカ人との交流の原点は Miura Karate Dojo にあり、それを誇りに思っている。この本の中では、20代空手の指導員として多くのアメリカ人と接してきた経験、その後ウォール街で接した大勢のアメリカ人金融マンたち、30代に起業してから業界やシカゴの商工会議所等で接してきた大勢のアメリカ人ビジネスマンたちとの交友の中から得た体験を語りたいと思う。

私は2001年に『IT時代に成功するためのアメリカンビジネススタイル』（日新報道）という本を書き下ろした。これは、日新報道の編集者から、当時急速に成長を始めていた米国インターネット新興企業のことを書いて欲しいとの依頼があったことに端を発した。

この本は、タイミングもよかったのか、当時の紀伊國屋書店のベストセラー7位にランクインした。執筆のためニューヨーク野村證券時代に培った人脈を駆使して、シリコンバレーの新興インターネット関連企業約20社のCEOたちにインタビューをして、当時の米国の新しいインターネット企業の現状と、今後のインターネット社会の予測を試みた。

この本の副題は「〝Web〟&〝人〟の未来のビジネス・スタイルとは」である。当時はとくにスタートアップのIT企業、インターネット企業経営者の中では、「インターネットが進展する社会ではテクノロジーの優越によりすべてが決定する」というような風潮があったのだが、私は人間が人間である限り必ず「Web」と「人間」が融合し、調和するビジネスと社会しかないと予測をしていた。少なくともその予想は正鵠を射ていたと思う。

この本では、私が三十数年住んでいる米国の最新の現実の情報と、いくつかの時代の節目となるような事件を縦軸として、その時々に私がどのように関わり、感じてきたかのパーソナルな体験を横軸として語っている。

間違いなく、この40年の間でアメリカは大きく変わった。40年どころかこの5年前、いや２０２０年3月以前には、どんな社会学者や専門家も起きるとは予想できなかった大変化が現実に日々起きている。われわれはそれに対して今後の準備はできているのだろうか？

最後に、私にこのようなテーマでこの本を書き下ろすよう強く進言してくれた方丈社の宮下研一社長には深く感謝申し上げたい。

山中　泉

第1章

忘れられたアメリカ人

分断されたアメリカのはざまで取り残された人々の実態

2020年3月初旬、ニューヨークでは、私の経営する会社が毎年出展する参加者数3万人の展示会が予定されていた。この展示会には、私が米国で立ち上げた会社の中でも、日本の最優良ブランドが出展しているため、展示会前日、例年同様シカゴから出展チームと一緒にニューヨーク入りして出展のためのブース設定を終了した。ところが、ブース設定が終わった日の夕方に主催者から突然、翌日からの展示会キャンセルの知らせがメールで入ってきた。

当時ニューヨーク市では、500人単位の会合はクオモ州知事から中止要請が出ていたので、3万人規模の展示会が開けるわけがない。主催者は直前になってキャンセルしたわけだ。会場のジェイコブ・ジャビッツ展示場は、その直後、新型コロナのエピセンター（震源地）となったニューヨークで、クオモ州知事の「ベッド数が極端に不足している」とのホワイトハウスへの報告を受け、トランプ大統領が即刻陸軍に命令して1週間で1000床のパーティションのついた野戦病院並みのベッドつき個室を作り上げた場所である。ＮＨＫをはじめ、日本のメディアでもよく報道されていたようなのでご存知の方も多いだろう。

いつもは顧客を訪ねたりミーティングをしたりと1週間ほどニューヨークに滞在するのだが、この時は何か変な胸騒ぎがして翌日にはニューヨークを離れた。これが少し遅かったら、3月中旬からのニューヨーク感染爆発に巻き込まれていただろう。何か虫の知らせがあったのだろうか。

そしてその時、このパンデミックが与える変化の規模とスピードに、これは大きな時代の分かれ目になると直感した。それで、この時から自分のフェイスブックで、コロナ以前の時代を Before Corona でＢＣ時代、コロナ以後の時代を After Corona でＡＣ時代と勝手に名付けた。

その3月から世界を襲ったパンデミックは、世界中で恐ろしいくらいわれわれの生活と経済を急激に変えてしまった。世界中でほぼすべての人々が、自分たちの今まで普通だったライフスタイルを大きく変えることを余儀なくされてしまった。近代以降、戦争以外でこれほど世界規模で「一般の人々」の生活を変えたものはなかっただろう。

この新型コロナが巻き起こし、多くの人たちに与えた災厄には、感染による死亡や隔離、経済的ダメージなど大きな事象はいくつもあるが、その最大のものは「人と人との絆を断ち切った」ことだと私は思う。さまざまな局面でこの新型コロナは普通の人々の集まり、会社の会議に始まり、コミュニティの集まりや地域の催し、伝統的な祭りや親しい人たちとの懇親の場さえ奪ってしまった。自分の親が病院や施設にいても会うことが叶わない、親の死に目にも会うことができない。これほどひどいことはないだろう。

私は仕事柄、米国で仕事用にフェイスブックやインスタグラムを活用したSNSマーケティングを若手テクノロジーチームと一緒に行っている。そのため、私の英語で発信しているフェイスブック・フレンド数は業界関係者を中心に5000人に達し、リミットに近い。しかし、米国同様、日本でも偏向ニュースが多くなっていることに危惧の念を抱き、2020年春から日本語で、自分のフェイスブックで米国社会や政治の「現実」を自分の視点で発信し始めた。その結果、短期間で大変多くの方にフェイスブック・フレンドになっていただき、私の現地発の情報が日本で報道される内容と大きく違い「米国の現実を知って驚いた」という声を多く聞くことになった。とくに、2020年に実際にアメリカではいつ何が起きていたのかをわかりやすく伝えるため、この本では私のフェイスブック記事を時系列で織り交ぜながら綴ってみたいと思う。

第1章では、この本のテーマの一つである「忘れられたアメリカ人」に光を当てたい。現代アメリカの「忘れられたアメリカ人」にはさまざまな人たちがいる。彼らの主張は、表立ってメディアで取り上げられることもないし、また彼らは自分たちの主張を声高に行うアメリカの圧力団体や政治的組織などに属さない人々だ。アメリカの中で、時々の政権や社会から取り残され忘れられたように見えるが、そのような人たちが確実に米国社会にいることを忘れてはならないだろう。なぜならば、彼らの声は小さくいつも社会からは無視されてきたように見えるが、ある日突然アメリカ社会に大きなインパクトを与えることがあるからだ。

私は、過去三十数年米国の中西部のシカゴ郊外やニューヨークなど大都会に住み、家族を持ち、生活し、多くのアメリカ人たちとビジネスをしてきた。２０２０年、新型コロナの感染により、全米規模で行われたロックダウンは、ワーキングクラス、とくに貧困層の人たちを直撃することになった。その中で、「人種差別反対」を旗頭にした暴動、略奪、放火が大都市を中心に頻繁に起きた。その陰にはメディアではまったく取り上げられなかった大勢の犠牲者がいる。

またここ数十年、米国製造工場の多くは、中国を中心とするアジアやメキシコなど賃金が米国の5分の1から10分の1ほどの国へ移転していった。１９００年代初頭からアメリカ経済を牽引してきた多くの工場がそれらの国へ移転してしまったことで、後には多くの寂れた街と人々が取り残された。

アメリカは、英国から新天地を求めて移民してきた人々によって開拓された国だ。長い歴史を持つヨーロッパや日本と違い、いつの時代でも新しい移民がこの国に数多くやってきており、彼らがアメリカに新しい息吹を与えてきたという事実がある。２０１９年には、アメリカ合衆国で1年間に市民権を得た人の数が過去最高を記録した。

そして、移民の中でも、現在あるいは過去の共産主義国から亡命し、単身であるいは家族で逃げてきて移民となり、アメリカのグリーンカード（永住権）を取って、市民権を得る人たちが今でも大勢いる。この人たちは通常、アメリカのメディアでもほとんど取り上げられることのない人々である。それらの現代アメリカでは忘れられた人々を、この章では描写してみたいと考えている。

1．ケノーシャの個人商店主たち

2020年11月2日、アメリカ大統領選挙の前日、私はトランプ大統領が最後の遊説を行う予定のウィスコンシン州ケノーシャを訪れていた。この街は私が住むシカゴ郊外から車で約1時間ほどの距離にある。

ケノーシャは、8月に、黒人男性ジェイコブ・ブレーク氏が逮捕中逃亡し、車に乗り込むところを警官によって背後から撃たれた事件から、大規模なブラック・ライブス・マター（BLM）の抗議活動が起きた場所だ。その後、この動きはニューヨーク、シカゴ、ロスアンジェルスをはじめとする多くの都市にも飛び火し、大きな暴動や略奪が全米規模で起きたきっかけとなった場所である。

実際に自分で行ってみたが、この界隈は黒人を含む有色人種がほとんどのエリアであった。シカゴをはじめ、アメリカはどこでもそうだが、湖や海岸に面しているほど不動産価値が高く、富裕層向けの住宅が多い。このケノーシャでもミシガン湖沿いにはおしゃれなレストランや富裕層向けの住宅があるが、このジェイコブ・ブレーク事件が起きたエリアは、そこから少し内陸部に入った有色人種を中心とした低所得層の人たちが住む場所だった。当時のことを、私のフェイスブックから引用する。

（2020年8月24日）

昨日、ウィスコンシン州ケノーシャ市で、家庭内暴力との急報で駆けつけた警官が黒人容疑者ジェイコブ・ブレークへ後ろから7発発砲して、容疑者は重体となっ

た。ビデオが撮影されており、容疑者は警官の制止を無視してそのまま車に乗り込んだところを発砲されている。報道では警官が銃を所持していない容疑者に対して、背中に7発発射したとある。ウィスコンシン州知事はすぐにフロイド事件に触れ、警察官の過剰暴力を非難している。この事件により近隣の建物や商店が放火され、また略奪が起こっている。

私の見るところ、この事件は5月25日のジョージ・フロイド事件のように全米規模での警察への抗議運動、ブラック・ライブス・マター（BLM）運動を巻き込み、フロイド事件もしくはそれ以上の大規模な破壊活動につながる可能性がある。そして民主党、BLMはこの事件を今まで以上に政治化してトランプ大統領を非難する好材料とすることになるだろう。

そして、私がこの事件が起きてすぐにフェイスブックで予想した通り、このジェイコブ・ブレーク事件は瞬く間に全米に飛び火して暴動と略奪の嵐を巻き起こすことになった。

ここでは、この近辺で起きたブレーク事件に触発されたBLM暴徒によって建物や自動車への放火、略奪が起こり、この場所に小店舗を構えていたマイノリティの店が被害に遭った。

その惨状は生々しく、その後、店の前に立てられた看板にも〝Love Lives〟というオーナーの言葉がむなしく感じる。「もう自分の店を襲わないでくれ」という哀願だ。これは他の全米の多くの街で、店頭をカバーする分厚いベニヤ板に「私たちはＢＬＭをサポートしている」と書かざるを得なかった多くの個人店舗のオーナーたちと同じだ。

２０２０年11月3日の大統領選挙前までに、米国27の都市では分厚いベニヤ板などで店舗のボードアップ（防御補強工事）が行われていた。それは誰に対してか？　トランプ支持者が今まで一度もこれらの店舗を襲い略奪や放火をしたことはない。すべてＢＬＭや過激組織アンティファ（Antifa）たちによる自分たちの店への攻撃への防御のためである。「私はＢＬＭをサポートしている」という看板が、それを何よりも雄弁に物語っている。

すでにアンティファを中心とする過激組織が略奪や放火したアメリカの店舗の被害金額は20億ドル（２０００億円超）に上った。

ブラック・ライブス・マター (BLM) によって放火されたケノーシャの店舗（山中泉撮影）

BLM によって店を破壊されないよう分厚いベニア板でガードしたケノーシャの店舗（山中泉撮影）

黒人差別反対を旗印に、多くの大手の店舗だけでなく、小さな個人店舗が破壊された。その被害総額は、ケノーシャだけでも5000万ドル（50数億円）にのぼる。

この界隈の60丁目で40年間、家具店 B&L Office Furniture Inc を営むクリステン・ウォレントさんの店舗はこれらの暴徒によって放火され、夫婦はすべてを失った。近隣にあった車のディーラーは停めてあったすべての車に放火され、燃やされた。

また、近くで古着や中古品を扱う店を持っていたケリー・タワーズさんは、「暴徒たちは深夜に来て私の店を襲い、略奪して放火していった」と語った。彼女は自分の店にガソリンをぶちまけ、放火する暴徒に対して止めに入ったが彼らは意に介さず放火を続けた。「このエリアは貧しいけれど、悪い場所ではなかった。みんなブルーカラーだけれど、働き者で小さな商売をやっている人が多い場所だったのに」と語った。

この場所で28年小さな小売店を経営しているジム・グラジオさんは「連中は店の品物をすべて持っていって、その後放火した。被害金額は1万ドルを超えるが、これらは保険会社から保険の対象にならないと言われた」と語る。

「この店が私のすべてだった。今まで一度も他人を不公平に扱ったことはない。なぜこんな目に遭うのだろう」と肩を落とした。

家具店の火は放火後2日経っても消えていなかった。ウォレントさんは「ここは富裕層の住む場所ではない。簡単に復興するのは無理。ケノーシャの住民でそれをできる人はいないでしょう」と嘆く。


2020年、アメリカでは、大都市を中心に多くの店舗が略奪と放火に遭った。ニューヨークやシカゴのダウンタウンではグッチ、エルメス、ロレックス、カルティエ、ナイキ、アップルなどをはじめ、大企業の大型店舗も襲われた。暴動は中規模都市であるミネアポリス、アトランタ、シアトルなど、さらに広がっていった。

そして、それ以外の多くの街のダウンタウンでも暴動と略奪が起きた。前記のような大企業以外の周辺にある多くの店舗も同様の被害に遭った。それらはほとんどが中小個人商店で、多くはヒスパニック系、アジア系の人たちがオーナーの小店舗だ。そして、それらの店には保険会社から「これらの暴徒による被害は保険の対象にならない」と断られているところが多い。

繰り返すが、全米でこれらの暴動による被害は、すでに2000億円以上に上っている。そして、大企業以外の大半の名もない個人小店舗の被害者たちは、その怒りをどこにもぶつけるところがない人々である。

私は、彼らは2020年全米の街で起きた大規模な暴動の最大の被害者であり、その憤りをどこにも持って行くことができない現代の「忘れられたアメリカ人」だと考えている。

2. ラストベルト（錆び付いた地帯）の人々の叫び

2016年の大統領選で、まったく政治経験がなかった異色の新人トランプ候補が、すべてのメディアが「間違いなく勝利する」と予測していたヒラリー・クリントン元国務長官を破って大統領選に勝利した。その大きな理由は、それまで民主党の岩盤でブルーステート（民主党系州）のある中西部にヒラリー候補がほとんど遊説に行かなかったことだと分析された。

一方、トランプはそれらヒラリーが一度も回らなかった、すでに寂れた工場地帯の多いラストベルト（錆びた地帯）のペンシルベニア州、オハイオ州、ミシガン州、ウィスコンシン州、インディアナ州などを丹念に回った。

これらの州の多くにある工場は元来組合（ユニオン）が多く存在するが、それら組合の上層部は民主党と長く深い関係にあり、組合員は民主党に投票するのが当たり前とされていた。それに対し、トランプは「民主党はウォール街と組んで、ここにたくさんあった工場を中国へ移転することを助け、街にあった工場はなくなり、人々は仕事を失った。自分はまず中国の工場をアメリカに戻し、仕事をまたこの街に戻すために働く」と主張して、すでに工場がなくなり、貧困に陥っていた多くのラストベルトの人々の心を掴んだ。

これによってトランプは、民主党岩盤の鍵となるそれら数州で支持をひっくり返して勝利したと言われた。トランプがそれだけで当選したわけではないが、大きな勝因であるのは間違いない。

「忘れられたアメリカ人」の二番目にはこの錆び付いたラストベルトに住んでいる人々を

フォーカスしてみたい。

2019年、クリストファー・ルーフォという36歳の気鋭の映画監督が制作し、公開された ドキュメンタリー映画「アメリカ・ロスト"America Lost"」が静かな反響を呼んだ。アメリカにいる多くの貧困者、ドラッグ中毒者、犯罪多発地域に住む貧しい人々に焦点を当てた映画だ。

その中では、いくつかの置き去りにされた貧困の街が描かれている。その中の一つの街とそこに住む人々を紹介したい。

(「アメリカ・ロスト"America Lost"」より以下引用)

「忘れられた街、ヤングスタウンの忘れられた人々」

現在、アメリカには約5千万人の貧困レベルの人たちがいる。

オハイオ州ヤングスタウンは、かつては大きな鉄鋼工場があって栄えた街だった。今、ヤングスタウンは、アメリカで貧困者の比率が40%を超える六つの街に入る貧しい街になってしまった。

１９００年初頭、アメリカを代表する鉄鋼会社となっていたＵＳスティールの工場がこのヤングスタウンにはあった。ここは、１９２０年代以後「鉄の街」として、住民の多くがこの工場で働き、通常より高い賃金を得て、自宅やマイカー、家電も楽々と買えるミドルクラスの多く住んでいた街であった。

しかし、１９７０年代にＵＳスティールが中国や韓国などの安い鉄鋼に押され規模を縮小していく中で、オハイオ州、ペンシルベニア州などにあった鉄鋼工場は次々と閉鎖されていった。

①ヤングスタウンの〝トッド〟

トッドは、祖父の代から3代にわたりＵＳスティールの工場で働いていた工場労働者だが、たった1年半働いただけで工場閉鎖とともに解雇された。それ以降は仕事がなく、現在は廃品回収の仕事をしている。

トッドは現在、ドラッグとアルコール中毒から立ち直るために闘っている。妻と娘は離れていき、今は一人暮らしの40代白人男性だ。

トッドは語る。

「すでにこの街では8000軒の家が取り壊された。今歩いているこのブロックもかつてはミドルクラスの住む住宅街だったが、今ではすべて空き家になってしまった。

俺はこれらの空き家の中にある、まだ売れば金目になる廃品を探して、スクラップ工場に売って生活をしているんだよ。こんな廃鉄も1パウンド25セントで売れるんだ。(廃屋を回りながら)こんな電線やケーブルもみんな誰かが持っていってしまった。ここに住んでいた人たちは、昔はプライドもあった普通の中産階級の人たちだった。でも、今は誰もいなくなってしまった。

俺はこうやって毎日、廃屋になった家を回って最後に残っている何か金目になるものを売って生活しているんだ。ここに住んでいる人にとって一番大事なのは、その日をサバイバルする(生き残る)ことなんだ。もう1日、もう1日と生き残ることなんだよ」

1日で集めた廃品をスクラップ工場へ持っていった後、「今日の売り上げは上等だよ。45ドルあるからね」と、トッドは言った。

このヤングスタウン市は、100年かけて豊かなミドルクラスの街となったが、それが崩壊するのに一世代しかかからなかった。街は25マイルにわたっていくつもの鉄鋼関連の工場があったが、それらはすべて閉鎖してしまった。4万の人がこの街で職を失ったが、それはこの街の労働人口の半分だ。

この街は、モダン時代からポストモダン時代に取り残された典型的な街となってしまった。

ここでは30年間、ドラッグ中毒、アルコール中毒を原因とする死亡や自殺が増加している。

② 30代の白人シングルマザー、〝ジェニファー〟

ジェニファーは、街の酒場でバーテンダーをやっている女性だ。

朽ち果ててもはや無人になっている街の一角を歩きながらジェニファーは、「このウェストサイドは以前はいい環境だったのよ。今では信じられないでしょうけれど」と言う。

1軒の家の前で止まり、中に入って「ここが私が育った家なのよ。貧しいということは何か嫌らしい病気のように人をむしばんでいくのね。自分が育った家がこんなに荒らされて、金目のものはほぼすべて持っていかれてしまって、今あるのはその残骸だけ。それを見るのはとても悲しいのよ。ここには、私のお父さんとお母さんたちとの生活の思い出がある。でも、おじいさんはアルコール中毒で、いつも私のお母さんをサンドバッグのように殴っていた。お父さんは仕事がないので、ドラッグディーラーになった。そしてそれが原因の争いで殺された。よく考えることがあるのよ。もし、アルコール中毒がなかったら。もし家庭内暴力がなかったらって。私は15歳の時に妊娠したの。これが娘のニッキー。2人目の息子マイケルは今どこにいるかわからない。ニッキーだけが私の生きがいなの」と語った。

ニッキーの高校の卒業式に出席したジェニファーは「私が卒業できなかった高校をニッキーは卒業した。こんなに誇らしいことはないの」と涙を流して喜んでいた。

ニッキーは街を歩きながら「この街は、何も残っていないゴーストタウンみたいなもの。酒場で酒を飲む人たちもハッピーな人はいない。昔は街や自分にプライドを持っていた人たちが、今ではみんなその誇りを失ってしまった。

ここには母がいて、街を離れたくない。でもこの街にはもうチャンスがないの。もし残ったとしても、他の人たちと同じようにまともな仕事はない。もしそれが嫌なら、街の外に出て働くしかないのよ」と語った。

③ 人と人との絆が失われてしまった街

現在、このヤングスタウン市はアメリカでも最も貧しい街の一つとなり、子供の貧困率は全米で1位、ミドルクラスの4万人の職がこの街から失われた。これは、この街の労働人口の半分である。そして、平均賃金もアメリカで最低レベル近くに落ち込み、それとともにアルコール中毒、ドラッグ中毒、犯罪率の急上昇が起きている。次から次へとオピオイド（現在、アメリカで最も多い中毒性の薬物）による過剰摂取中毒死や自殺も増えている。

すでに、8000軒の家が取り壊されて、1年間に200軒の空き家が燃やされている。鉄鋼工場があった時には、ミドルクラスの白人が多かったが、その後、彼らの仕事はなくなり、またスキルもないため生活保護や年金暮らしの人々がほとんどになった。
現在、街の人口の上位の生活者10％は市関係の公務員だ。そして、最下層の50％の人たちは失業中で、生活保護を受け、その金をドラッグや酒に費やし、多くのドラッグ中毒者やアルコール中毒者たちは犯罪を犯し、刑務所への出入りを繰り返す人も多い。失業者は40％を超え、この街の69％はシングルマザーである。

ヤングスタウンは、かつて栄えた街が工場移転によって凋落した街の象徴と言われたため、過去の大統領選の選挙運動で候補であるクリントン、ブッシュ、オバマが訪れた。3人とも、その時はバラ色の未来を語ったが、その後、何の変化もなかった。

（映画の紹介終わり）

日本でも一時もてはやされたグローバリズムとは、経済の分野で簡単に言えば「最も安いコストで作れる場所で製品を作り、最も高く売れるマーケットで売る」というシンプルなものだ。
しかし、ここ数十年のアメリカでは、ウォール街の国際金融資本のグローバリストたちがクリントン、ブッシュ、オバマ政権を背後から操り、自分たちの利益のために、これらラストベルトに数多く存在していた工場を中国や海外に移転していく政策を進めていった。そして残されたのは、その工場が去った後に職を失った多くのアメリカ人たちだった。

しかし、このアメリカ中西部のラストベルトで起こったことと同様のことが、日本でも起こったのではないか？

戦後、日本は焼け野原になった状態から、必死でモノづくりを続け、その中から今では世界的大企業になったトヨタ自動車、ホンダ、パナソニック、ソニーなど、日本を代表する企業が誕生した。

そしてそれ以外にも、大企業の下請けから開始して、自らの技術を磨き、オンリーワンを勝ち得た素晴らしい技術を持つ地方企業も数多く出た。しかし、ここ数十年、中国の安い人件費に釣られて、工場を次々に中国に移転したことで、後に残されたのは、失われた地方の雇用、疲弊した地方経済と寂れた街々であった。

私は、故郷青森の、今では引退されている90歳近い戦中派世代の事業家の言葉が耳にこびりついている。

彼は「戦後日本は、焼け野原の何もないところから会社も労働者も賃金を上げるために一所懸命働いてきた。それがここ最近は、企業は賃金を下げることがいいことだという、とんでもないことを正当化している」と語った。

とくに、小泉政権の竹中平蔵氏が唱えてきた「雇用の流動化」の美名の下、多くの企業で大勢の正規労働者の非正規化が行われていった。そして雇用者の給与を下げることが、グローバル化した世界では正しく、必須でさえあるとするかのような主張に多くの経営者が同調して、多くの工場を中国はじめアジアの各国へ分散していった。

世界的な金融と経済を後ろで操ってきた国際金融資本やグローバリストは、傘下の日本グローバリストを使って、昔ながらの技術を磨き、地方で雇用を維持してきた数多くの日本の中小企業の根幹を崩壊させてしまった。多くの日本オリジナルの技術は、アメリカと同様、中国に盗まれることになってしまった。25年前は世界トップクラスにあった日本の所得水準は、いつのまにかアジア諸国にも抜かれ、今では20位に入らないほど落ち込んでしまった。

アメリカ中西部で起きたことは、けっして他人事ではない。

この映画の制作者のルーフォ監督は「工場が閉鎖されたことは大きな経済的な原因だが、問題はさらに深いところにあると気づいた。それは人々が、かつては家族やコミュニティ、教会などの社会を通して持っていた『人と人との絆』を失ってしまったことだ。そしてそれこそが、彼らが失った最も大きなものだと考えている」と語った。

ルーフォ監督は「この状態を変えるのは簡単ではない。個人レベルでミドルクラスの生活を求めるのであれば、近隣の大都市のクリーブランドかピッツバーグなどに転居するしかないだろう」と語っている。


トッドは、廃品回収の仕事の後の唯一の趣味は絵を描くことだと語り、最近の絵を見せた。それは、古く朽ち果てた星条旗が灰色の墓場にある風景画だった。

「廃品回収をしていると、多くの古い絵画を見つけることがあるんだ。誰か無名の画家が描いた絵なんだろうね。その墓場の暗い絵画を見つけて、俺はその中に古くボロボロになった星条旗を描いたんだよ」。この絵は、彼が考える忘れられたアメリカ人の持つ心象風景なのだろうか。

トッドやジェニファーをはじめとするこの地域に住む大勢の白人の貧困者たちは、現代の「忘れられたアメリカ人」である。

3. 共産主義国から逃れてきた難民、亡命者たち

① ベトナム難民たちのその後

ベトナムは第2次世界大戦前にはフランスの植民地であったが、戦後はアメリカが南ベトナムを支援し、北ベトナムを支援したソビエト連邦と中国との間で、代理戦争として泥沼のベトナム戦争に入っていった。

しかし、アメリカの占領とそれ以前のフランスの植民地時代よりもずっと前に、ベトナムは紀元前111年から938年まで1000年以上にわたって中国の支配下にあった。ベトナム人の中国人への反発は、この古い記憶がＤＮＡにしっかりと刻み込まれているこ

とによるのだろう。私が知るほとんどのアメリカに住むベトナム人の中国に対する感情は、きわめて厳しいものがある。

近年、領海侵犯をする中国艦船に対しても、小国ベトナムは並々ならぬ姿勢としたたかさを決然と示している。ひるがえって、祖国日本の尖閣諸島海域での中国艦船への優柔不断な態度はどうなのか。最近では来日した中国外相による主権を侵す発言まで許しているありさまだ。長く祖国を離れてなかばあきらめの気持ちになることもあるが、いったい日本人の誇りはどこへ行ってしまったのだろうか？

現在、アメリカにはベトナム系アメリカ人は130万人、他の人種との混血ベトナム系を合わせると、200万人が住んでいると言われる。

2020年9月の世論調査では、ベトナム系アメリカ人の48%がトランプ支持で、36%がバイデン支持だった。これは他のアジア系アメリカ人の中ではきわめて高いトランプ支持率である。

とくに、ベトナムから難民として逃げ出してきた第1世代のトランプ支持者の統計では、その94%がトランプへ投票すると答えたものもあり、多くがトランプ支持者であることが知られている。ただ、第2世代、第3世代になると、他のアメリカ人の若い世代同様にバイデンや民主党の支持者が多くなってくる。

第1世代のベトナム人は、トランプ大統領を支持する理由として、彼の共産主義への対決姿勢だけでなく、トランプ大統領が中国政府に立ち向かい続け、それが間接的にベトナムを守ることにもなるという、祖国を愛する人々へ希望を与えていると考える人たちが多いことにある。

（Seattle Times 紙 10/7 Nina Shapiro 氏の記事より引用）

「ベトナム系アメリカ人の大統領選へ過去の傷が燃え上がる」

（10月19日）

ワシントン州は、テキサス州とカルフォルニア州の次に多くのベトナム系アメリカ人、

67000人が住んでいる州だ。そしてその多くの第1世代は、1975年のサイゴン陥落の時に避難民のボートピープルとしてアメリカに逃れてきた人々である。

ワシントン州タコマ市で、メディケア（シニア向け医療保険）のブローカーをしている52歳のデゥ・グエンさんは、トランプ支持の二つの最大の理由を語った。

「私は、他の多くのベトナム人と同様にとても、とても熱心なカソリック教徒なのです。（トランプ政権は、カソリック教徒の反中絶のプロライフ政策を支持）そして二つめは、トランプ大統領の中国への厳しい外交政策です。トランプさんは、中共政府との不公平な貿易協定と中国発の新型コロナウイルスを厳しく非難しています。トランプ大統領ただ1人が中国に対して『これまでのやり方はもう十分だ。もうおしまいだ』と言ってくれたのです」とグエンさんは語った。

「2020年は警察の過剰逮捕と、組織的な人種差別主義があるとブラック・ライブス・マター（BLM）から大きな非難が上がりました」と、以前はオバマ大統領に投票したグエンさんは語る。

「そこには人種への不公正が確かにあります。私自身もアジア系ということで、ほんの些細なスピード違反で警官に車を止められることがありました。私は武器を持たない容疑者への発砲はあってはならないと考えます。

しかし、私にはこのタコマ市に一銭も持たずにベトナムから難民として逃げてきて、その後小さな店を経営した叔父と叔母がいます。その彼らの店を、ＢＬＭの連中は略奪して放火した。それは絶対に人種差別の解決でもなければ、あってはならないことでもあります」

「われわれは共産主義から逃れてきて、この国で自由を見つけたのです」と、12歳の時に家族と一緒にベトナムから逃れてきたグエンさんは語る。

「私たちは、狭い木製のボートで6日間食料も水もなく、家族はそのボートで嘔吐を続けながら逃げてきたのです」

（記事引用終わり）

さまざまな多くの国からアメリカへ移民してきた人たちに共通のことだが、彼らの祖国への愛情や愛国心はその国に住んでいる人たちよりも強いことがあると考えさせられた。

②キューバからの新移民ユーリ・ペレスさん

アメリカのすぐ隣にはキューバという長く共産主義体制を持つ国がある。フィデル・カストロは死亡したが、その弟ラウル・カストロが現在も実権を握っている。

そして、南米大陸の北端には、世界最大の埋蔵油田を持つと言われ、それを背景に豊さを享受してきたベネズエラがある。ベネズエラは、軍事政権のチャベス、そして現在も後継者マドゥロという共産主義独裁政権が強圧的な政治手法で国民の自由を奪い、独裁政治をしいている。

ベネズエラは2020年で7000%超というインフレ率で、すでに経済は壊滅した状態まで落ち込んでいる。現在、ベネズエラの人々は、食料、水、薬といった生活に最低限必要な品が正規ルートではまったく手に入らないところまで追い込まれている。

アメリカには、この二つの中南米にある共産国政府の圧政から自由を求めて、政治的亡命をする人たちが、ここ数十年大勢出てきている。

現在、キューバからアメリカへの移民は次世代を含めて139万人、ベネズエラからの移民は120万人がアメリカに住んでいる。そして、その多くはフロリダ州に居を構えていることが知られている。

これら両国から近年アメリカに亡命してきた「新移民」たちは、共産主義国での辛酸を肌身で知っている人たちだ。現在、アメリカで巻き起こっている民主党左派によるアメリカの左傾化に激しく反発を持つ人々である。しかし、彼らの声も大マスコミではほとんど取り上げられることはない「忘れられたアメリカ人」だろう。このようなキューバ移民の一人であるユーリ・ペレス氏のコメントを紹介しよう。

（NBC News.com　2020年9月28日より引用）

私は2009年27歳の時に、72年前に最後の自由で公正な選挙が行われたキューバからアメリカに来ました。キューバでは、暴力的な共産主義の支配「赤い恐怖」が過去の世代の記憶でなく、今も1100万人以上の人々にとって耐え難い「現実」なのです。私がアメリカへ亡命する時には、多くの家族を残して来ざるを得なかったのです。

共産主義政権による人権の剥奪の環境で育った私は、教師や政府のプロパガンダの洗脳を受けても、アメリカへの憧れを持ち続けていました。そこでは、共産国には与えられていなかったアメリカ憲法で保障された「言論の自由」「集会の自由」「指導者を選ぶ権利」など、神から与えられた権利を持つことができると夢を見ていました。

私の夢は2016年に実現し、私は米国憲法に忠誠を誓い、米国市民になることができました。この年、私は初めて自分が国民である国の新しいリーダー候補のために、自由で公正な投票を行いました。自分が声を上げ、自由に選択し、責任を負うことができるのは素晴らしいことだと感じました。私にとっての第2の祖国アメリカへ感謝しかありません。私は、ドナルド・J・トランプ氏に投票しました。

私は候補者を選ぶ時に、いわゆるポリティカル・コレクトネス（アメリカに蔓延している、政治的に正しいとされる主張を唯一の正義のように主張する運動）をまったく気にしませんでした。

他の多くのラテン系の人々は、私たちの生活へ政府の関与を増やすことを支持し、とくに若いラテン系はよりリベラルな傾向にあることを知っています。私はキューバで政府から強制された「集団思考」に毒されてきました。しかし、私は、トランプ大統領こそが、私たちに最も適したリーダーだと感じましたし、今もそう思っています。

さらに、トランプ大統領は当時の私にとって重要だった2016年の選挙公約を実現しました。税金を引き下げ、憲法を厳格に守る裁判官を最高裁に任命し、実効性のある移民制度を推し進め、不必要な規制の数々を取り消しました。彼のアジェンダは、「ビジネスを支援」し、「家族の価値を認め」、「命の重要性を尊重する」（反中絶）でした。

しかし、それ以上に、私は比較的新しい米国市民として、また共産主義の非人間性を直接経験した人間としてアメリカの人に進言したいのです。今このアメリカで、われわれが目にしているこの国の危険なイデオロギーについて、仲間のアメリカ人に警告することが私の義務であると感じています。

アメリカの私を含めた若い「ミレニアル世代」は、私がアメリカへの亡命を余儀なくされた危険なイデオロギーに、ますます同調していることがわかっています。共産主義の犠牲者記念財団の第4回年次報告書によると「ミレニアル世代の70％が社会主義者に投票する可能性が高い」と言っており、「3人に1人以上のミレニアル世代（36％）は共産主義に好意的だ」とのことです。

もしアメリカ人が、社会主義、共産主義体制の下で生きることがどのような犠牲を国民に強いるか真実を知れば、彼らの態度は違ったものになるでしょう。

20年前、当時は豊かだったベネズエラに亡命した多くのキューバ人が社会主義の危険性について警告しましたが、ベネズエラ人は自国を安定した民主主義国であると信じていたため、そんなことが自分たちに起こることはないと考えていたのです。

しかし、多くのベネズエラ人が狡猾な指導者たちのお手軽な繁栄という偽りの約束を信じて社会主義政権に投票した結果、かつて繁栄を誇ったベネズエラは破壊されてしまいました。1961年にロナルド・レーガンが言った言葉、「自由の絶滅とはけっして一世代以上離れた遠いところにあるわけではない」という警告を痛感することになってしまったのです。

（中略）

アメリカには、人種差別的な過去と現在があり、これは私の理想と相反するものであることは間違いありません。しかし、民主党が人種差別への反対を表明するために「ブラック・ライブス・マター（BLM）」という組織との連帯を決めたことは、私たちのような人間にとって受け入れることはできません。BLMの指導者たちは、訓練を受けたマルクス主義者であり、暴力的で反民主主義的なキューバの元独裁者フィデル・カストロや、ベネズエラの独裁者ニコラス・マドゥロが体現した理想の実現を公然と発言しています。

民主党の主張は、私のような社会主義体制から来て、新たな米国市民になった人間にとっては「何か大きな契約違反をされた気持ち」です。私は、当時のバラク・オバマ大統領と現在のバイデン氏のキューバとベネズエラに対する政策に大きく失望をしています。

対照的に、トランプ氏は強い反社会主義的な立場を表明している。ちょうど先週の水曜日、彼は「今日、われわれはアメリカが社会主義国になることはないと宣言する」と語った。

それは、非社会主義国（自由主義国）に住むために、すべてを犠牲にしてアメリカへ亡命してきた私のような人間への彼のメッセージであり、また現在も継続している独裁国家のキューバとベネズエラの政権に対する制裁の表明でもあります。私は、この11月に再びトランプ大統領に投票します。
（引用終わり）

ベトナムやキューバから逃げてきてアメリカを永住の地と選んだ第1世代移民や難民の人たちに共通することは、今でも祖国への熱い想いを持ち続け、何か祖国のためになることをやりたい、支援したいという点である。それらの多くは、ほとんど無一文で裸一貫でアメリカにやって来て、小さな店やビジネスを開始した人々だ。

私も1980年の渡米以来、第1世代として複数の小さな会社を苦労して立ち上げてきたので、彼らの心情は痛いほどよくわかる。私は日頃あまり在米の日本の方々との付き合いはない。仕事柄、日本人や日本の会社がクライアントではないということが一番の理由だが、それでもたまに、長年アメリカに住む日本のとくに年配の経営者の方々と話をすると、彼らの持つ日本への並々ならぬ愛国心が伝わってくる。

1960年代、1970年代にアメリカに渡ってきて、レストランや小さなビジネスを立ち上げた日本人たちは、アメリカ社会の矛盾や差別を身に染みて知っている。それでもこのアメリカという国の美点である自由主義、民主主義、そしてアメリカ人特有のおおらかさなどを認めて、家族を持ち、永住している人たちである。

たまに彼ら在米日本人の先輩方と話すと、祖国日本の最近の経済だけでなく、精神的に何か自信を失ってしまったような態度への懸念が共通の認識である。戦後の日本人たちは、たとえ貧しくとも並々ならぬ気概を持っていたと思う。

しかし、まだまだ日本には経済指標には出ていない財産があると私は考えている。それは、危機の時に発揮する日本人の底力であり行動力であると思う。それは一部の政治家や官僚、経済界のみに期待していてはとうてい不可能だろう。日本人自ら一人ひとりが現在日本の危機への気づきと、変化への決断をしなければならないだろう。

③ ソビエト連邦から亡命してきたロシア系移民たち

ニューヨーク州とニューヨーク市は、カリフォルニア州やロスアンジェルス市と並ぶ民主党の岩盤地域である。シカゴもそうだが、大都市というのはさまざまな国々からの移民が昔から多く、たくさんの仕事があることから、それら多くの業界には古くからさまざまな組合（ユニオン）がある。

州や市の行政、郵便局、大工、ペンキ屋、電気設備、重機運転、建設労働者、工場労働者など、ほぼありとあらゆる大都市には欠かせない業種は組合がある。そして、そのほとんどの組合の幹部に対して民主党は早くから支援を取り付けてきた過去がある。

そのため、大都市は基本的に古い昔ながらの労働組合が中心になって選挙活動を行う習慣になっており、これらは昔から非常に強固な民主党集票マシーンと言われてきた。

そして、大都市に住むブルーカラーの人たちも基本的に民主党支援者が多い。黒人、ヒスパニック系の人たちが多く従事している肉体労働、サービス産業などにも、民主党は昔から人種差別反対運動の指導者やヒスパニック系コミュニティ指導者に対して党支援のための資金を提供し、その地域での市庁舎職員など公共の仕事（市で働く職員からゴミ回収の仕事まで）をそれらのマイノリティに提供してきた。そしてそれらを餌にして、マイノリティーたちからの支援を取り付けてきた経緯がある。

ただ、ニューヨークが他のどのアメリカの都市とも違うのは、例えばシティバンクやＪＰモルガン・チェースなどの銀行やゴールドマンサックス証券など大手金融機関の本社のあるウォール街、New York Times, NBC, CBS, ABC などほとんどのアメリカの主要メディアの本社機能があるメディア都市、数多くのそれ以外の世界的大企業の本社が集中しているという特殊な街であることだ。

そして、それらのウォール街やメディアに勤める一部の人間たちは、平均的なアメリカ人の数十倍から数百倍の年収を得ているスーパーエリートである。これらの人たちの現在多くが、民主党を支持している。

つまり、ニューヨークでは、共和党支持者が数でいうと圧倒的に少ないため、トランプ支持などとは言えない雰囲気だということである。また、海外からの多くの移民コミュニティも、基本的には民主党支持層が多い。

私は、１９８６年からニューヨーク野村証券という会社で米国株トレーダーとして、６年間勤務した経験がある。また、ニューヨーク勤務の前はシカゴでの学生時代、ほぼ毎日、シカゴの三浦美幸師範の空手道場で指導をしていたのだが、ニューヨークでは同門の大山茂最高師範のOyama Karate Dojoへ稽古に通っていた。
昼間は、ウォール街で働いて、夜はグリニッジビレッジにあったOyama Dojoで稽古をしていたわけだ。このOyama Dojoは当時ニューヨークで一番大きな道場と言われ、一度に300人の道場生が楽々と稽古できるスペースがあった。私は道場稽古と別に、週末にはプライベートに慕ってくる生徒たちに稽古をつけていた。

当時、道場の黒帯の数は約300人、そのうちの約100人がユダヤ系アメリカ人だった。そしてその多くが弁護士だったので、私には一緒に汗を流した、大勢のユダヤ人の後輩や弟子がいる。彼らユダヤ系弁護士は優秀な人たちも多く、アメリカの中のユダヤ人の歴史や立ち位置などいろいろなことを教えてもらった。

空手道場には、海兵隊など軍人、警察官、FBIエージェントなどから弁護士、ビジネスマン、ブルーカラー、主婦、子供などありとあらゆる職種や階層の人たちが通ってくる。また、ニューヨークの道場は、立地がグリニッジビレッジという土地柄、アーティストや役者が多く住んでいるということもあって、テレビや映画で活躍していた役者たちも多かった。日本でも有名なケビン・コスナーも近くに住んでいて、よく子供を稽古に連れて来ていた。

アメリカに来て最初に、シカゴとニューヨークでの12年間の空手の指導と稽古を通じて得た多くの人脈と経験が、私がアメリカ生活に溶け込み、多くの友人たちを持ち、アメリカ人を深く知る上での大きな宝物になったと考えている。

私のニューヨーク時代、空手を指導した生徒の一人に、ディビッド・シガーニックというユダヤ系アメリカ人がいる。今でもニューヨークへ仕事で行くたびに集まってくれる私の古い弟子たちの一人である。彼は、Ph.D（博士号）を持ち、ドクターの継続的医療教育を行う会社を長く経営している。クライアントには、メルク、ファイザー、ベッグマン・コールターなど製薬業界最大手をいくつもクライアントに持っているやり手だ。

彼は、祖父世代がロシアから移民してきたユダヤ系ロシア人の血を引いている。通常のアメリカ人ビジネスマンには珍しく、いつも自分の政治的立ち位置をはっきりと主張する人間だ。

彼は1980年代から民主党支持者で、当時のブッシュ大統領をはじめ共和党へ厳しい批判をしていた。無論、トランプ大統領への批判の舌鋒は鋭く激しい。すでに3代目になると、先祖が共産主義国から亡命してきたということはまったく関係なく、政治的にはきわめてリベラルな典型的なユダヤ系ニューヨーカーとなっていた。

ニューヨークに住み、多くのユダヤ人と仕事をしたことがある人ならば、ユダヤ人の影響力と団結力がいかにすごいものかは理解できるだろう。私の場合は、彼らが大きな力を持つウォール街にいたこともあるが、その後の事業で幾度もユダヤ人たちと仕事で付き合い、時には激しく闘ってきた。彼らの仕事のやり方、考え方はどのようなバックグラウンドを持つかによってもまったく違うが、いわゆるアメリカの通常の会社やビジネスマンたちとはかなり違う。

ユダヤ系の人たちは、昔から民主党支持者が多い。アメリカの最初のエスタブリッシュメントとなったWASP（白人アングロサクソン・プロテスタント）の多い共和党よりも、1950年代から左傾化を進めてきた民主党にユダヤ人が馴染みやすかったということもある。またユダヤ系アメリカ人たちに対して、影響力を提供したのが民主党だったということもあるだろう。

しかし、ニューヨークは民主党岩盤の地域であるが、その中で一つのマイノリティ・グループが他の多くの移民グループと違い、強固な共和党支持、トランプ支持であるのはあまり知られていない。


ニューヨークの中で数少ないトランプ支持者が多いのが、この章で前述したベトナムやキューバと同様に、共産国からの移民であるロシア系アメリカ人たちだ。

現在、アメリカには313万人のロシア系アメリカ人がいるが、その中でニューヨーク州に約160万人が在住している。そして、ニューヨーク市には約35万人のロシア系移民がいて、その多くがユダヤ系ロシア人たちだ。

第1世代のそれらユダヤ系ロシア人には、共産主義のソビエト連邦から亡命してアメリカへ避難してきた人たちも多い。現在のロシアとは違い、当時の共産国ソビエト連邦は今の北朝鮮と同じで、移民するには亡命しかなかったのである。


（以下、The New York times紙　Joseph Berger 氏の記事より）

アナトーリー・アルターさんは1978年に現在のウクライナのキエフから移民し、マンハッタンの毛皮工場で働いていた。その後、自分の毛皮工場をブルックリンのブライトンビーチで開業した。ミンクやセーブルを最終加工し販売している。

「俺がなんでここにいるのか、わかるかい？　それはアメリカが資本主義の国だからだよ。そして、共和党がより資本主義に近いから応援しているっていう単純な理由なんだよ」

彼は「オバマやバイデンの民主党は社会主義のメンタリティを持っている。だから自分は共和党に投票するんだよ」と語る。

「あまりに多くの人たちが、ただでもらえる金や無料の医療費や学費などの夢を持っているが、それを支払うのは結局われわれのような小さなビジネスをやっている人間たちなんだ」

5万3000部のロシア語新聞を発行する54歳のアルカディ・フリードマンさんは以下のように語る。

「私は、共産主義国で育ったのです。ですから私はそれがどんなものかをよく知っています。私は、スタッテンアイランドで保育園も経営しているんですよ。もし、大きな政府ができると、政府は多くのお金をわれわれから持っていってしまうんです。そしてソビエト政府は、人々から取り上げたお金を自由に使い放題でした。ただ若い連中、とくに大学へ行って教育を受けた若者たちは民主党支持者が多いですね。ものを知っていると言いたがる若者ほど、民主党やリベラル支持者になるようです」

モルドバを離れて移民してきた40歳になるルースラン・ペリンさんは、現在ウェストチェスター在住のソフトウェアの開発者だ。

彼は「国営の統制経済が好きな人は、より社会主義的な国を求めて移民をする傾向にあります。ロシアからアメリカへ移民した人たちは、資本主義の理想を求め、その価値を信じてアメリカに来た人が多いのです。もしそうでなければ、北欧諸国など他のヨーロッパの国、あるいはカナダへ移民をしたことでしょう」と語る。

彼らソビエトから亡命してきた第1世代の人々の様子も、メディアで取り上げられることはほとんどない。また子供世代、その次の世代がどんどんアメリカナイズされていく中で、第1世代の大半の人々はロシア語しか話せず、時代から取り残されていく「忘れられたアメリカ人」ではないだろうか。

4. ミドルクラスで保守のブラック・アメリカン（黒人）たち

2020年の大統領選挙において、トランプ大統領が黒人男性票の得票率を、2016年の8%から18%まで伸ばした。

メディアの報道だけを見ていると、トランプ大統領は「人種差別主義者」だと言うバイデン氏や民主党の主張をそのままコピーしているだけなので、一般の人々にもそのようなトランプのイメージが定着しているのだろう。しかし、もし彼が人種差別主義者だとしたら、なぜ黒人男性の票が4年で2倍以上伸びているのか？　おかしいではないか？　そこには日本でまったく報道されていない事情がある。

トランプ大統領は、2016年の就任時から人々の予想に反して、きわめて積極的に黒人コミュニティに対して支援を行ってきた。主な政策だけでも、黒人カレッジへ17%以上予算を増やし、100億円を超える規模の支援をしてきた。それとは反対に、オバマ大統領はひそかに黒人カレッジへの予算をカットしていた。

トランプ大統領は、The First Step Actという法律を作り、数千人の刑務所の収監者たち（その90％が黒人）の刑期を免除した。また、黒人住居区域にオポチュニティ・ゾーンをつくり、民間からの投資を促進した。

このように、黒人コミュニティへいくつもの支援を行ってきた。それが、これら黒人男性からの投票率の上昇に現れている。そして、それらの政策もあって、黒人の失業率は過去最低レベルまで低下した。

私が、ニューヨークで空手を教えていた時の弟子の一人に、当時コロンビア大学でMBAを取得して、チェース・マンハッタン銀行（現在のJPモルガン・チェース銀行）のバイスプレジデントとなった後、シティバンク銀行の法人営業を任されていたポール・ラティマーという黒人男性がいる。それら大手金融機関をいくつか渡り歩いた後、現在は、自分の金融コンサルティング会社を経営している。

ミドルクラスというより、アッパーミドルクラスの黒人男性である。たまにニューヨークへ出張に訪れると、彼を含め昔の私の弟子たちと食事をして一杯やるのがニューヨーク訪問の楽しみの一つだ。

彼とはあまり政治的な話はしないが、最近のブラック・ライブス・マターへの感想などを何気なく聞いたところ、彼はこの動きにはまったく賛同していないと語った。また、リベラルな白人や民主党指導者からの「黒人は昔から人種差別されてきた、この国のかわいそうな人たちだ」というようなステレオタイプの扱いにはがまんがならないとも話してくれた。

アメリカの黒人が全体の人口に占める割合は13%であるが、「何か黒人の全員がブラック・ライブス・マターを支援していると白人や民主党指導者も勘違いしているのではないか。黒人も、白人や他の人種と同じで、同じ黒人でも違う考えやバリューを持つ人々がたくさんいる」と彼は憤慨していた。

彼は、「確かにいまだに生活保護を受けて、サウスブロンクスやさらに治安の悪いところに住む数多くの黒人たちは機会も少なく、とくに若い黒人男性の失業率はいつも高いことも知っている。しかし、われわれは白人たちから哀れに扱われる黒人ばかりではない。白人たちと対等に競争して、自分たちの力で成功を勝ち取ってきた多くのミドルクラスの黒人もいることを忘れないでほしい」と語った。私は彼のような弟子を持てたことを心底誇りに思った。

２０２０年、民主党を離れて共和党に変わって、非常に雄弁にトランプ大統領を支援する黒人の立場を代表して発言している黒人公民権運動弁護士のレオ・テレル氏という人がいる。

（Fox News ２０２０年8月17日付記事より引用）

テレル氏は「なぜ、私が民主党を離れたか、そしてなぜ私はトランプ大統領へ投票するかを話したい。第一に、私は自分が民主党を辞めたんじゃないんだ。彼らが私から離れたんだ。かつての公民権運動と民主党のジョン・F・ケネディの『国に対して、何かを求めるのではない』という有名な言葉を、極左集団によって放棄してしまったのが、現在の民主党なんだよ」と語った。

2020年、バイデン候補は選挙戦の集まりの中、黒人男性の厳しい質問に対して「もし君がトランプか自分か、どっちに投票するかわからないようなら、君は黒人ではない」と語った。

テレル氏は「おいバイデン、あんたは私が黒人であるかどうかを知らないかもしれないが、私は『黒人』だ。そして、白人の47年間政治家をしている人間に、肌の色だけで誰に投票するか決められるとは、今の今まで知らなかったよ」。

「民主党は『法と秩序』を守り、とっくにジョージ・フロイド事件など関係ないブラック・ライブス・マターとアンティファなど過激派を擁護してきたことを止めなければならない。そして、彼らには『All Black Lives Matter（すべての黒人の命が大事だ）』と言ってもらいたい（単純に『ブラック・ライブス・マター（黒人の命が大事）』でなく、『すべての黒人の命が大事』）」

「シカゴで頻繁に起きている子供たちの銃撃による死亡事件、つまり『黒人の黒人に対する犯罪（Black-on-Black crime）』の解決がもっと大事な問題だろう。そして、おまえたちが起こした暴動と略奪で殺されたセントルイスの退職した警察官デビット・ドーンさんへ哀悼の意を表すべきだろう。彼は黒人だったんだぞ」

「民主党が主導して、貧しい地域に絶対に必要な警察官たちを削減させる『警察の予算カット』は止めさせなくてはダメだ。もし、黒人が多く住む貧しい地区で、銃やナイフを持ったドラッグディーラーやギャングが襲ってきた時に、誰が戦ってくれるというんだ？警察官しかいないんだよ。その時には、ソーシャル・ワーカーや民主党の大ボスが駆けつけて助けてくれるわけじゃないんだ」

「われわれの街、大都市は今やそこらじゅうが放火や略奪で荒らされているんだ。これらアメリカの大都市は誰が責任者なんだ？　ニューヨークはデブラシオ市長、シカゴはライトフット市長、シアトルはジェニー・ダーカン市長、ロスアンジェルスはガルセッティ市長、全部民主党市長たちだ。これらの民主党市長たちが、暴動や略奪に対して必要で強力な処置を行ってこなかったことで、これらの街の治安は大幅に悪化してしまった。彼らは統治能力がないことを証明している」

（引用終わり）

現在、アメリカを席巻し、「人種差別反対」を声高に叫び、暴動や略奪、放火を繰り返してきたブラック・ライブス・マターやアンティファという極左グループの掲げる「人種差別反対」は、単なる人集め、金集めの道具にしか過ぎないと、この黒人公民権運動弁護士レオ・テレルさんは語った。

そして、静かだが着実に増えている「黒人のミドルクラス」「黒人の保守層」の人たちの声は、なかなか外には出てこない現在の「忘れられたアメリカ人たち」の声だろう。

第2章

2020年のコロナ禍、大統領選前後のアメリカ社会の分断

これまでほとんど語られてこなかったアメリカの「真実」

私の経歴は、普通の人に比べてかなり変わったほうかもしれない。私は1980年に渡米したのだが、その際二つの目的があった。一つはシカゴの大学に進学してジャーナリズムを勉強すること。もう一つは当時、極真空手のシカゴ道場支部長であった三浦美幸師範の下で空手を稽古したいということであった。そのため、東京で3年ほどさまざまなアルバイトをして、費用を貯めての渡米だった。

1980年、初めて見たシカゴは、富める者と貧しい者がすでに両極端に分かれている社会だった。最初、私が通った英会話学校のあった私立大学は、イリノイ州リバー・フォレストという、シカゴ西部郊外周辺でも一番高級な住宅街の一角をキャンパスとしていた。とにかく目に映るすべてがアメリカの富の象徴のような広い芝生やプールのある邸宅だった。日本の住宅に比べて巨大な家々の群れを見て「これがアメリカか！」と大きなショックを受けたのを覚えている。

1週間ほど経ってから数人でＣＴＡという電車に乗って、そこから30分ほどのシカゴのダウンタウンに向かった。そこで再度驚いたのは、キャンパス近くの駅からダウンタウンに行く途中は、当時は知らなかったのであるがウェストサイドといってシカゴの黒人街が30分ほど延々と続く地域であった。

電車の窓から見える家々は、ほとんどの窓ガラスが割れ、ドアも破壊されてベニア板が貼り付けられている。日本のスラム街といわれるところに行ったことはなかったが、写真で見た日本のスラム街に比べると、住宅というよりもその残骸といった光景であった。最初に見たこの二つの光景が、私のアメリカ社会に対する原点である。富める者と貧しい者、光と影のギャップのすごさ、これがアメリカなんだと圧倒されたのである。

そして、この富める者の地域に住んでいるのは、ほぼすべてが白人であり、スラム街に住むのは、ほぼすべてが最近ではアフリカ系アメリカ人と呼ばれるようになってきた黒人なのである。

さて、それから40年タイムスリップをしていただきたいのだが、２０２１年その構造はどれほど変わったのだろうか？　実は、この構造じたいはまったく変わっていないと言える。リバー・フォレストなど高級住宅街に住むのは今もほとんど白人であり、ウェストサイド、サウスサイドというシカゴの二つの巨大なスラムを持つ街の住人は、スパニッシュ系などが増えてきたという変化はあるが、やはり依然として黒人がほとんどを占めている。

確かに昔に比べると、それらスラム街を持つウェストサイド、サウスサイドも地区によっては、かなり改善されている。両地区とも民間、公共の大型投資がなされ、街並みじたいが改善してきた地区も多くなってきた。

しかし、プロジェクトと呼ばれる主に生活保護世帯向けの公共住宅は、いまだにほとんど無料かごくわずかな家賃で住むことができ、犯罪地域も多いため、ミドルクラスの黒人たちも近寄らないエリアであることは今でも変わりない。ギャング同士やドラッグに関わる抗争、銃撃や殺人事件が毎日頻繁に起こる、全米でも最悪の地域であるからだ。警官も2人以上でないと入れない状態は依然として変わりない。

そして、2020年のアメリカのエポックメイキングな事件を二つ挙げると、2020年夏の時点では、間違いなくとてつもないスピードで世界中に伝染した新型コロナウイルスと、5月に起きたジョージ・フロイド殺害事件によって始まった抗議デモ、それに派生した暴動が挙げられるだろう。

この2020年6月に全米の大都市を襲ったすさまじい暴動、略奪、放火の嵐とその背後にある動きを見て、私は「アメリカはすでに内戦状態に入った」と確信した。そして、それは今後も簡単に収まることはないと考えている。この章は、その後全米を襲ったさまざまな事件の裏側に、何が起きていたかのレポートである。

1．内戦勃発の米国の暴動、略奪、放火の背景

①フロイド事件からの暴動の背後にあるもの

米国ではコロナによるロックダウンが起こった2020年3月以後、5月25日にミネソタ州ミネアポリス市で黒人の容疑者ジョージ・フロイドが逮捕された際に白人警察官によって膝で首を押さえつけられ、死亡する事件が起きた。この警察官は第2級殺人で起訴されているが、この事件を契機に全米で黒人による警察官過剰暴力逮捕に対する抗議活動

が吹き荒れることになった。

当初はこの事件と警察への抗議運動が非暴力で行われていたのだが、それらはすぐに黒人差別抗議運動となり、そのメインのスローガンとしてブラック・ライブス・マター（略してＢＬＭ「黒人の命は大事だ」）が掲げられた。この運動には、ヨーロッパのテロ組織のアンティファや、単純にこの運動に乗じ略奪を働く暴徒の群れが加わって、ニューヨーク、シカゴ、ロスアンジェルス、シアトル、ポートランド、アトランタなどでは、一般店舗への略奪や放火の嵐が吹き荒れた。

最初は自分たちの住む黒人街で近隣の一般の店（多くは黒人オーナーの店）への襲撃から始まり、ニューヨークの五番街、シカゴのミシガンアベニューなど大都市の高級ショッピング街にあるグッチ、ティファニー、ロレックス、アップルなど高級ブランドショップのドアや窓を打ち壊し、近辺の銀行のＡＴＭマシンを破壊し現金を強奪するという暴挙へと広がっていった。

また、それに対して派遣された警察官へのコンクリートなどの投石、火炎瓶の投下、一般の店舗や建物への放火など、暴挙の限りが続いている。私のフェイスブックより、6月から7月のデモや暴動、略奪、BLM運動が最も激化していった時期の記事をいくつか、そのまま引用してみたい。

(2020年6月11日)

今、米国で一番のホットニュース、ミネアポリスで白人警察官によって死亡したジョージ・フロイド事件に抗議するデモは以下の段階で進んでいる。

1. 純粋にこの事件への抗議デモ、その次には人種差別抗議デモ(当初は非暴力運動)
2. 略奪、放火、警察官への攻撃という非合法活動へエスカレート
3. "Defund the Police"警察への予算削除(削減)

という順番で毎日米国メディアでも報道されている。

以下、Yahooの統計では、現在の段階でこの警察への予算削除を支持する人は

16%、支持しない人は64%。

次に暴動そのものの話ではなく、それによって深刻な被害が近隣の人に起きているという話を紹介しているので引用する。

店舗を破壊して略奪を行う連中は高級ブランドショップ街も狙うが、まず自分たちの住むエリアで略奪を行う。その場合コロナ自粛中も開いていた数少ない店舗であるドラッグストアも狙われた。アメリカ版マツキヨであるWalgreens、CVSといった全米規模のドラッグストアがある。ここには処方箋薬局があり薬剤師がいるということで、どの街にも複数ある大変重要な店である。

CVSのCEOによると、店舗300店の相当数の店が襲撃されてシカゴ地域の24店舗はまだ閉鎖だという。これらは黒人街にも多くの店舗を持っているが、襲撃を受けてその大半が閉鎖に追い込まれている。近隣の黒人で処方が必要な人たち、

（2020年6月17日）

老人などは遠くの薬局まで行くことができず死活問題となっている。彼らの悲痛な声が多く報道されている。これら一部の暴徒のために自分たちはなぜこんな被害を浴びなくてはならないのかという訴えだ。

②ブラック・ライブス・マターとは?

このブラック・ライブス・マター(BLM)は、一般的には「黒人の命は大事だ」というスローガンだと思われているが、正確ではない。これは正確には「ブラック・ライブス・マター・グローバル・ネットワーク」という財団の名前である。4人の結成メンバーの一人、パトリシー・クーラースは2015年のインタビューで、「私たちはマルクス主義者として組織的な訓練を受けた」と語っている。また、結成メンバーの一人のオパル・トメティはこの時期ベネズエラのマルクス主義独裁者の大統領ニコラス・マドゥロと親交を深めていた。

日本ではこの「マルクス主義」という言葉はすでに死語になっていると指摘を受けたことがあった。アメリカでも今年のBLM運動勃発までは同様であった。

しかし、このＢＬＭの創業メンバーの全員がマルクス主義者であり、彼女たちがそれを認めている。そして実際にこのＢＬＭによって起こされているきわめて過激な行動は、それらマルクス主義者の世界的に共通する行動規範によることは特筆しておくべきことだろう。まさに死んだと思われていた亡霊が現代アメリカで蘇ったのである。

ＢＬＭグローバル・ネットワークは、アメリカの人種差別に抗議する黒人たちの非暴力運動という衣をまとっているが、その実態はマルクス主義者たちによって設立されたきわめて政治的な組織であると言える。私もその運動が平和裡に、法律や社会のルールに則って改革を進めるのであればまったく反対はしない。また多くのアメリカ人も同様だろう。

ところが実際には、このような黒人差別反対運動という誰も異論を唱えることのない主張を建前として、過激な破壊活動、社会システムの破壊、警官隊への投石、火炎瓶の投下、警察署やパトカーへの放火、一般商店の破壊、略奪、放火、市民たちへの暴行を行っているが実態だ。

このＢＬＭは当初、名前から何か一つのスローガンのように見られがちであったが、現実は自分たちの主張を通すための「政治的組織」である。その綱領の中には、黒人差別への抗議以外にも、ゲイやレスビアン、性的少数者（ＬＧＢＴ）など幅広い分野への連帯をうたっている。しかし、彼らが現実に行っている活動は、多くの非合法活動とともに直接、間接的な脅しによって、企業から寄付金を募るという悪質な手法である。

現在、ＢＬＭは米国最大の圧力団体になっている。アメリカにはさまざまな圧力団体があり、例えば全米ライフル協会（ＮＲＡ）などは銃規制に反対している団体としてよく知られている。それらの圧力団体は政界へのロビー活動も行っている。

米国にいくつもあるそれらの圧力団体とＢＬＭの一番の違いは、もしＢＬＭに対して批判をしたり、否定的な意見を少しでも言おうものなら、まずその人の名前が公表され、あるいはその人の住所までネットで公表され、それが企業の社員であれば、その人は非難の的となり、企業はその社員を解雇することに追い込まれる。もし企業の経営者がそのような発言をすると、不買運動に結びつけられる。

それらはツイッターなどのソーシャル・メディアを使って大々的に全米規模のキャンペーンとして拡大する。ＢＬＭに協賛し寄付金を出している企業は、アップル、グーグル、フェイスブック、ナイキなど大企業が軒を並べるが、これら企業は上記のような理由で、批判的なことを言えない状況になっている。

また米最大手のプロスポーツ団体である米フットボールリーグ（ＮＦＬ）や、米バスケットボール協会（ＮＢＡ）などもこのＢＬＭに組織として賛同を示している。これらのスポーツは、全選手のうち70％から80％を黒人選手が占めるという特殊事情もあるが、黒人容疑者が警官によって撃たれるような事件が起きると、すぐに試合や練習をボイコット、ＢＬＭの旗を掲げてＢＬＭ支持を表明している。

テニス界のスーパースターの大坂なおみ選手も、このＢＬＭ運動が一気に燃え上がった時期に他のアスリートと同様にこの組織に対して賛意を示す発言をしていた。私は、彼女が純粋にこの国に未だ存在する黒人差別に反対し、それらの反対運動への共鳴を表明しただけだと信じている。

ただ、ＢＬＭは単なるスローガンではなく、非合法な破壊活動を行っているきわめて過激な組織であることは大坂選手もご存知ないのだろう。アメリカの多くのフットボールやバスケットボールのスーパースターやアスリートたちも同様にＢＬＭに都合よく利用されているに過ぎない。

以下、私のフェイスブックでこのＢＬＭ運動について触れている記事があるので、紹介したい。

（２０２０年6月16日）

アメリカは現在、内戦状態に入ったと言っていい。5月25日のフロイド死亡から全米いたるところで、Black Lives Matter（ＢＬＭ）デモが吹き荒れている。

このＢＬＭ運動はCiviqs統計によると、米国人の支持53％、反対25％で、4月半ばから12ポイント上昇した。この支持率はトランプやバイデンより高く、共和党や民主党、ローマ法王より高い。

この組織は現在大手のさまざまな企業、Apple, Facebook, Nike, Amazon, Uber, Coca Cola, Youtubeなどが軒並み大口の献金をしている。そして最大の問題は、これら大企業からの多額の寄付金が、民主党への寄付金に回っている事実である。

アメリカは公的な寄付金はその使い道を明らかにしなくてはならない法律があるので、その事実は明白になっている。

このようにあっという間にこのＢＬＭ組織と運動は現在米国でもっとも影響力のある政治組織となった。

現在アメリカではこのＢＬＭ反対の言葉を出すと、その人は所属の大学、組織、会社から解雇されるという現実が起きている。つい最近も、シカゴ連銀の人が自身のＳＮＳでＢＬＭについて語った内容が適切でないと解雇となった。私の見立てでは、このある意味革命とも言える動きは今後さらに大きな波となっていく可能性が高い。

7月4日の独立記念日は、昨年もシカゴではこのような事件がなくても66件の銃撃事件が起きた。この独立記念日に向けてこの組織は周到な準備をして全米、世界を震撼させる行動を起こす可能性がある。それが暴徒による略奪、放火といった大規模破壊活動にならないように願うばかりである。そうなった時はトランプ大統領

――が軍の出動を決断するしか選択肢はなくなるだろう。

さらにエスカレートしたＢＬＭ運動は、米国にある銅像や建物の破壊を始めた。現在、アメリカの大都市のニューヨーク、ロスアンジェルス、シカゴなどその多くは民主党の首長たちである。そしてそれらの首長たちは、おしなべて今回のＢＬＭ運動に賛意を示していて、彼らの要求するDefund the Police（警察への予算削減）に対して、大幅な減額をもって実行に移している。このシアトル市長もその最右翼（最左翼？）である。警察の権限を大幅に制限し予算をカットしてきている。

（この原稿を書いている先週末にはシカゴのダウンタウンで、２回目になる大掛かりな略奪が起きた。８月16日の日曜日深夜から数百人が明らかに示し合わせて、ＡＴＭを打ち壊し、現金を強奪し、シカゴの高級ブランドショップが軒を並べるミシガンアベニューの数多くのショップで略奪を繰り広げた。被害に遭った店舗は、グッチ、シャネル、ブルガリ、ロレックス、ブルーミングデール、ノードストローム、サックスフィフスアベニュー、アップルと挙げればきりがない。）

これは最近シカゴ市警の友人から聞いたのだが、これら略奪された盗品はその日のうちにeBay（日本でいうヤオフクか?）に出店されすぐに現金化されていくという。そのためシカゴ市警はこれらeBayサイトを見張っていて、明らかに盗品とわかるような高級ブランドの貴金属やバッグ、靴などが大量に販売されている場合、販売主をあたって検挙を進めているという。

③欧州発の過激左派「アンティファ」

アンティファは、1932年から33年にかけて、ヴァイマル共和政下のドイツに存在した組織「反ファシスト行動」が起源と言われるが、アメリカでは2016年の大統領選でトランプ支持派との衝突を繰り返した頃から知名度を上げていった経緯がある。反ファシストという建前とは反対に、彼らじたいが社会転覆を掲げる思想を持って、BLMデモや暴動と一緒に活動しているテロ組織だ。このヨーロッパからアメリカに来てBLMにまぎれ込んでいる活動家の多くは白人の若者が多いことが知られている。

私の身近な女性に実際にあった話を披露したい。

彼女には19歳になる自閉症の息子さんがいるのだが、このアンティファにリクルートされて、1日100ドルの日当でデモに駆り出された。アンティファはこのような白人で、自閉症という障害を持つ若者をリクルートして、警察官の目の前に立たせたという。

彼は警察官に対峙しても病気のため何も言えないのだが、BLMやアンティファは、白人も怒っているという画像がメディアを通じて発信されると、白人からのシンパシーを得やすいことを計算して、わざと白人を目立つところに配置する傾向がある。またBLM運動は黒人がほとんどだろうと日本人は思うかもしれないが、実態はかなり白人の若者が多い。これらは、アンティファのような組織が、日当を払ってデモ参加者を募り、白人の若者を多く見せかけている結果だろう。


ご存知のようにこのコロナ禍でアメリカの大学もこの2020年3月からまったく対面授業がなく、オンライン授業である。大学生も暇を持て余している。1日100ドルの日当は御の字だろう。さらに大学生は昔からそうであるが、リベラルな傾向が強い。何よりも大学の教職にある教員たちの左傾化が、ここ最近かなり激しい勢いを持って進んでいる傾向がある。

また、民主党で今回の予備選と、前回の対ヒラリーとの闘いでもいいところまで行ったバーニー・サンダースの強力なサポーター部隊も、この学生たちが主流である。サンダースは社会主義者でさまざまな政策を掲げているが、その目玉の政策は大学の学費免除と学生ローンの減額もしくは支払い免除で、学生たちから熱烈な支持を集めている。

2. Defund the Police（警察への予算カット）

① 民主党首長都市と「警察予算のカット」

現在のアメリカの大都市は、その多くが民主党系の市長によって占められている。数字を挙げれば、全米の人口からみた大都市50のうち、民主党系市長35名、共和党系13名、独立系2名（独立系だが民主党の支持を受けた）となる。主な民主党系市長の都市は、ニューヨーク、ロスアンジェルス、シカゴ、ヒューストン、フィラデルフィア、ダラス、サンフランシスコ、シアトル、デンバー、ボストン、デトロイト、ポートランド、アトランタ、ミネアポリス、ニューオーリンズと調べると、驚くほど民主党系市長で占められている。この中でＢＬＭ運動、略奪、放火などが頻繁に起きたのは無論、大都市のニューヨーク、ロスアンジェルス、シカゴである。

すでにニューヨークはデブラシオ市長が、ＢＬＭの要求する「Defund the Police（警察への予算カット）」に「素直に」従って、60億ドル（約7000億円）の警察予算のうち、10億ドル（約1100億円）のカットを決めた。

ロスアンジェルスは1・5億ドル（170億円）の予算カットを発表している。さすがにシカゴはあまりにも銃撃や殺人が多く、そう簡単に警察予算カットはできないのだろう。

ジョージ・フロイド死亡事件から始まったＢＬＭ運動の最大の要求の一つが、この警察への予算カットである。そして、大都市以外でもミネアポリスやシアトルなど過激な左派市長を抱える都市では、すでにどんどん警察の予算カットが実施されている。これは警官の人数のカットにも直接つながっている。

その結果、事件の急報コールがあっても警官がすぐに現場に駆けつけることができないということが、民主党系市長の都市では頻繁に起きている。ジョージ・フロイド事件の起きたミネアポリスでは、若い白人市長がＢＬＭの主張をそのまま聞いて大幅に警察予算と警察官の数をカットした。そのためミネアポリス警察は現在、15マイル四方（約24キロ四方）

というかなり大きな地域をたった6人の警察官でカバーするという異常な事態に陥っている。

数週間前、この地域では100件の銃撃事件があり、十数件の車上荒らしがあったが、この6人の警察官はほとんど駆けつけることができなかった。現在吹き荒れているBLM運動が、警察予算と警察官をターゲットにした結果である。

この数年あった白人警察官による黒人逮捕時の銃での殺害事件やフロイド事件のような過剰逮捕による死亡を理由に、全警察じたいに〝Systematic Racism〟があり、警察組織の中に黒人に対する人種差別構造が組み込まれているから、警察の予算をカットしてそれを黒人街のさまざまな活動に使えという要求となった。

警察官の中にも悪質な者がいるというのは事実である。しかし、それを理由に警察の予算をカットせよという要求には、一般市民からは強い反対が起きている。2020年の夏、アメリカでは「警官が悪者扱い」されている現実が起きている。

現在その動きは、さらにエスカレートして、シカゴではパトカーの警察官を銃で狙撃するという事件が複数回起きている。また、ロスアンジェルスでは、暴動の取り締まりに当たっていた警察官が投石などで負傷し、救急車で病院へ搬送されたが、病院の救急車搬入口がＢＬＭの暴徒の車によって閉鎖されるという信じられないことが起きた。

警察関係者は、これは「警察に対する宣戦布告である」と怒りの声を発している。警察官にも悪徳警官、犯罪者警官もいるだろうし、人種差別主義の警察官も少数ながらいるだろう。しかし、それでもってすべての警察が人種差別主義者であり、警察の組織そのものに人種差別がシステマテックに組み込まれているという主張は、あまりにも飛躍した話だろう。

そして、先ほど挙げた民主党系の市長の都市では、警察への予算カットが実施され、そこまではいかない都市でも警察への締め付けは非常に大きくなっている。そしてＢＬＭの主張支持に舵を切ってきている。こうした民主党知事と市長のDefund the Police（警察予算のカット）を現在全面的に支援しているのが、民主党である。

②警察官がすでに現場に向かわなくなった現実

実はさらにより深刻なことが、このDefund the Policeの結果起きている。これはメインストリーム・メディアで報道されることはほとんどない。唯一の保守系のチャンネルであるフォックスニュースでもほとんどない。同局でも、警察関係をよく知るゲストコメンテーターからたまに出てくる程度である。

私には、親しくしているシカゴ市警の警察官ファミリーがおり、何人ものシカゴ市の警察官たちを昔からよく知っている。また、私は元極真会館シカゴ支部長であった三浦美幸師範のところで長く稽古し、学生時代は四つの道場で指導員を任されていた。

当時、シカゴ市警やミルウォーキー市警の警官たち、ＦＢＩエージェントなどが道場生におり、指導していた彼らからも警察関係の情報はよく入ってきた。また、私の会社で長く勤めている女性は、以前警察署に勤めていたため州警察や市警に大勢の知り合いがいて、その人たちからも最近の事情を聞くことがよくある。

彼らから直接聞いたことをお伝えしたい。警官たちがパトカーで自分の担当地区を回っていると、一晩に何度も犯罪発生の緊急無線が入ってくる。「たった今、強盗があった」「ギャングによる銃撃があった」「車上荒らしがあった」などだ。連絡があると、通常はすぐパトカーで駆けつける。しかし最近、警官たちはそれらの無線があってもすぐに現場に行かないこともあるのだという。

例えば巡回中のパトカーに「どこどこで、150ドルの強盗があったので駆けつけろ」という無線が本部から入った。そこで彼は「自分は行かない、誰かルーキー（新人警官）を行かせろ」と本部に答えるという。彼は40代後半のベテラン警官だが、もうすぐ最初の年金がもらえる勤続25年になるので、今さら150ドルのために免職になるかもしれないリスクはとりたくないと言う。

これはとくにスマホの発達した最近の傾向であるが、一連の黒人容疑者の逮捕は、いずれの現場でも近くの人間がスマホで逮捕の様子を動画撮影しており、これがすぐ彼らによってソーシャル・メディアに流れる。「白人警官がまた黒人を暴力的に逮捕している」というキャプションと一緒にである。

そうなると間違いなく市長や警察上層部から査問委員会にかけられ、メディアに顔をさらされ弾劾されることになる。犯罪の急報があった現場で容疑者を逮捕するということで、相手が黒人の場合、このような事態になることが多い。

そのため、警察官たちは犯罪急報のコールがあっても、現在シカゴ近辺では絶対に1台のパトカーでは向かわない。必ず3台のパトカーで向かい、逮捕時には、3台のパトカーの警察官たちの体につけられたボディカメラで3方向から逮捕の映像を撮るようにしているという。

後でメディアや査問委員会で糾弾された時に、そのビデオが事実を証明してくれることになるからだ。また、シカゴでは、これらの犯罪の急報が入る地域は治安が悪いところで、逮捕時に容疑者が反抗し、銃やナイフで反撃することも多い。そうなると、最悪の場合、命を落とすこともあるわけで、たった150ドルのために、自分の命を危険にさらしたくはないというのが正直な本音だという。

これが今、Defund the Police で警察の予算がカットされ、警官が悪者に仕立て上げられた結果、警察官たちが自分たちを守るために犯罪現場に向かわないということが起き始めた現実である。

しかし、警察官が犯罪現場に駆けつけないという現実の一番の被害者は、白人の富裕層ではない。彼らの住む地域は、通常の警官が頻繁にパトカーで回っており、銃携帯の許可を持ったプライベートポリスがしっかりとそのエリアの防犯を行っているからだ。ミドルクラスの住むエリアもそこまでの犯罪多発地域ではない。

一番の被害者は犯罪多発地域に住む、あるいは住まざるをえない貧しい人たち、黒人をはじめとする有色人種である。なぜなら一番多い犯罪は、それら犯罪多発地帯に住む黒人たちが、自分より立場の弱い黒人である老人、女性、妊婦などをターゲットにして行うという悲しい現実があるからだ。

「警察官がアメリカでは悪役、人種差別主義者だ」というBLM運動家、過激派たちの主張を、民主党は非難することなく静観しているのが2020年夏の現状である。現時点で民主党は、それらの活動には反対せず、逆に警察官の予算カットに積極的である。これらの動きに対してシカゴでは、すでに昨年の2倍の警察官の早期退職者が出ており、ニューヨークではその退職率が対前年比で400%上昇という異常な数字として現れている。

これらの警察予算カットによる市中を見回る警察官の大幅な減少とともに、これら大都会では、ドラッグを巡るギャング同士の銃撃の流れ弾による子供や老人の死亡の他、万引きや窃盗など軽犯罪を含めて犯罪数が大幅に増加している。シカゴでは２０２０年の９月で、これらの犯罪による死亡者数は対前年比で56％増加となっている。

③ブルー・ライブス・マターとオール・ライブス・マター

このブルーは濃紺の制服の警官を表す隠語で、ブルー・ライブスは警官の命を表し、ブルー・ライブス・マターは「警官の命も大事」というスローガンで警官やその家族、保守派から起こってきたムーブメントである。さらにブラック・ライブス・マターの前からすでにあったのが、オール・ライブス・マター（すべての人の命は大事）というスローガンである。

ただＢＬＭたちは、これらの二つのスローガンはきわめて当たり前であるにもかかわらず、何かブラック・ライブス・マターを貶めているような意味だと強調する。ＢＬＭと民主党左派に乗っ取られた陣営が、これらのまともなスローガンさえひどく否定的に扱っている。いかに、現在のアメリカが異常な状態に入っているかを物語っている。

3. ポリティカル・コレクトネスとキャンセル・カルチャー

① 言論の自由の封殺「ポリティカル・コレクトネス」

ポリティカル・コレクトネス（PC：ポリコレ）とは、1980年代にアメリカで性別、人種、宗教に基づいた差別や偏見を防ぐために、社会的、政治的に公正で中立である言葉を使用しようという運動として始まった。

「政治的公正、中立性」という日本語になるのだろう。「差別」や「偏見」を取り除くため、これらの運動はすべて正しいものだとする主に主要メディアによって主導されてきた経緯がある。

わかりやすい例を挙げると、性別を表す敬称で、以前は、Mr.（男性）に対して、女性はMrs.（既婚）とMiss.（未婚）しかなかったのであるが、女性だけが既婚の有無を表さねばならないのは不公平だということで、今ではMs.（女性の未婚・既婚を問わない）が一般的に使われている。しかし、現在では、男性、女性を表すことも好ましくないという動きが出てきた。

このように性別を知られたくない場合はMx.という新しい敬称が出てきた。これは、ジェンダーアイデンティティ（性同一性）を男性か女性かはっきりくれない場合に表す敬称となって、だんだんとこのMx.を併記するところが増えている。

しかし、これらのようにあまり社会的に、問題にならないようなポリティカル・コレクトネスもあるのだが、最近は、相手を攻撃してその社会的立場を葬り去るための使われ方が、アメリカ社会に急速に蔓延してきている。

その最たるものが、人種差別反対運動やブラック・ライブス・マターなどに対して自分自身の意見を発言する自由に対する「ポリティカル・コレクトネス」であり、その実態は「言論の封殺」以外の何ものでもない。

もしこれらの運動に対して、少しでも「批判的な」意見を発するだけで、それを発した人が「白人」であった場合には、これらの運動家から徹底的に批判の対象とされる。

このように、「ポリティカル・コレクトネス」問題は、すでにアメリカ社会に長年深く根を下ろしている厄介なものだ。

そして、多くのアメリカ人は、公の場所でこのＰＣに触れる発言はまったくできないところまで追い込まれるという深刻な事態に陥っている。

政治家、大会社の経営者や社員、大学職員、公務員など、社会的地位を持つ職種の人たちはすべて、このポリコレに少しでも触れるコメントをどこかで言ったり、自らのソーシャル・メディアで発表したりすると、すぐに非難の声が上がり、社会的に糾弾され、多くの場合、仕事を解雇される。政治家はその地位を追われることになる。人種差別運動や上記のＢＬＭ運動に少しでも批判的な発言をしただけでポリコレに触れ、激しいバッシングを受けことになる。

日本でもどこでも、圧力団体というものは世界中に存在するだろう。これは政治的、あるいは社会的に自分たちの信じる主張を社会へ発信し、自分たちの主張を社会で実現していこうという活動をする組織のことである。自由主義社会ではこれらの運動は圧力団体だろうと合法である。

そしてそれらの団体の掲げる理念や行動の知名度が上がり、その運動や団体に対する人々の支持が広がってくると、さまざまな組織や個人から寄付金が集まってくる。そしてそれを活動資金として、さらに組織を拡大させていくということになる。

しかし、ＢＬＭグローバル・ネットワークとそれら一般の政治的、社会的圧力団体には決定的な違いがある。それは、ＢＬＭは彼らの意見に少しでも反する立場を表明したとたん、その組織と個人に対して脅しと恐喝の攻撃をかけるということだ。

つい最近も、シカゴ連銀の上級職の人が、自分のソーシャル・メディアでＢＬＭ運動について批判的な意見を発した。そしてそれがシカゴ連銀にわかったとたんに、彼は解雇処分となってしまった。現在、アメリカである程度のポジションにいる人たちはＢＬＭを少しでも批判することが、即ポリティカル・コレクトネスに触れ、解雇につながってしまうのだ。このポリティカル・コレクトネスじたいが、ここ数十年おそろしくアメリカ人の言論の自由を奪う結果になっている。私はすでに、アメリカは言論の自由や表現の自由が制限されている社会であると考えている。

②キャンセル・カルチャーと不買運動

このキャンセル・カルチャーも、現在のアメリカで起きている看過できない問題である。この言葉じたいは、成り立ちからいくつかの意味もあるのだが、ここでは自分たちの主張に相反する主張をする企業や個人を攻撃し、不買運動をすることと定義したい。

大手の米国食品メーカー、ゴヤフーズで起きたことは、このキャンセル・カルチャー（不買運動）を語る恰好の例だろう。

ゴヤフーズは、1918年にスペインから移民した創業者が、とくにスパニッシュ系の人たちが食べる豆類などの缶詰類の食品製造会社として立ち上げた。移民が起こした食品会社としては最大手で、現在はロバート・ウナヌエ氏が3代目のCEOである。2020年夏、スパニッシュ系の成功した会社や経営者の努力を讃える催しがホワイトハウスで開催され、彼はそこに招待された。

そこでトランプ大統領に対して「トランプ大統領のような強力なリーダーシップの指導者を持ったことは幸運である」とスピーチをしたところ、民主党の左派とBLMは「経営者が、トランプを称賛するような発言をするゴヤフーズに対して不買運動をしよう」と呼びかけた。その中心になったのは現在民主党の過激派代表格の下院議員・アレクサンドリア・オカシオ・コルテスである。

それに対してウナヌエ氏は、「過去にオバマ大統領にも同じようなイベントに招待され、同じように賞賛と感謝のスピーチをした。なぜ2人の大統領に同じ内容を言って、片方の大統領の時だけ非難されるのか。自分はその発言を取り消すつもりはない」と発言した。

この動きを見たトランプ大統領はすぐにツイッターで、「今すぐゴヤフーズを買いに行こう」とゴヤフーズの缶詰を前にした写真を披露した。その後、ゴヤフーズの会社の売上げは逆に上がり、株価も上昇した。

重要な点は、このBLMという組織は、自分たちの意見に反対を表明する人や組織を脅すだけでなく、BLMが反対の意を表明している組織や個人（この場合トランプ大統領）を称賛するだけで不買運動を始め、「言論の封殺」を行ってくるきわめて危険な組織であることだ。

このキャンセル・カルチャーを日本の人にわかりやすく説明できる好例がある。領有権を争っている尖閣諸島や竹島問題あるいは慰安婦問題などで、日本政府の発言や行動に対して中国や韓国政府が世論を扇動してよく起きる「日本製品不買運動」である。これに関しては日本の読者には説明不要だろう。これとまったく同じことを、このＢＬＭや米国民主党過激左派は行っているのである。

このように、自分たちの主張と反対の意見に対して、キャンセル・カルチャー、この場合は「不買運動」で脅しをかけるというのが彼らのよくやる手法である。成熟した民主主義の日本では一度も中国製品不買運動や、韓国製品不買運動が大きくなったということは聞いたことがない。

さらに、日本でも同じようなことが起きたことを覚えている。

アパホテルチェーンのオーナーである元谷外志雄氏の著書で「南京大虐殺」はなかったという主張の本がすべてのアパホテルにおいてあったことで、中国政府が自国民と旅行社に対して日本への観光の時にアパホテルに宿泊しないように圧力をかけたことがあった。

しかし、元谷氏は「日本は言論の自由が保障されている自由主義社会である。外国政府からの圧力で自らの主張を変えることはない」と毅然とした態度を示した。

私は、日本への出張の時もそれまではアパホテルに泊まったことはなかったが、この一件以降、なるたけアパホテルを利用するようにしている。そして、この事件の後にアパの従業員の方に「最近、中国人の宿泊客は減っていますか?」と聞いてみたが、「それほど減っていないですよ」とのことだった。中国人も政府のお達しと財布を秤(はかり)にかけて宿泊しているのだろう。

しかしこれらのキャンセル・カルチャーの手法は、マルクス主義の中国共産党政府では当たり前であるが、現在の自由主義陣営の左派筆頭とも言える文在寅(ムンジェイン)大統領の韓国なども、最近頻繁に行っている手法である。ＢＬＭグローバル・ネットワークは筋金入りのマルクス主義者たちであり、このような活動を大手を振って行っているのが現在のアメリカの現実である。

4. 拳銃携行ウェイトレスがいるコロラド州レストラン

①　憲法で拳銃の所持は合憲

アメリカでは、合衆国憲法修正条項第2条で、自衛のための拳銃所持の権利を保護している。

米国は、英国との独立戦争以来、自分たちの身は最後は拳銃で守るという伝統がある社会だ。州によっても法律は違うが、南部のテキサスやコロラドなどは拳銃所持に対して現在でもかなりオープンだ。

今年は、ブラック・ライブズ・マター（BLM）やアンティファによる暴動、略奪、放火などが大都市で荒れ狂った。従来、南部や内陸部の保守州では当たり前だった拳銃の所持がニューヨークなど大都市にも及び、拳銃を買って自衛するという人が大勢出て、拳銃の販売は記録的な売り上げとなった。

②　トランプ大統領は憲法擁護

トランプ共和党は、合衆国憲法修正条項第2条を遵守し、個人の自衛のための拳銃所持を認める政策だ。対して、バイデン民主党は「拳銃のコントロール」政策で、政権をとった後の政策として以下二つの方針を発表している。一つは「政府が拳銃所持者から200ドルで拳銃を買い上げる」こと、二つめは「それでも拳銃を保持する人には1丁あたり数百ドルの税金をかける」こと。

たぶん、平和な日本に住んでいる日本人にはこのへんの事情はなかなかわからないだろう。日本人には、鎌倉時代から幾度か行われた刀狩りがすぐ浮かぶようだ。日本では、拳銃を刀狩りする形での解決法は何か平和的だと受け取られがちだが、それは現在のアメリカではまったく現実的ではない。

すでに米国の歴史始まって以来、民間人の拳銃所有率も高いが、現在拳銃犯罪や拳銃による犠牲者が一番多いのは、大都市に隣接した多くの黒人やマイノリティが住む犯罪多発地域である。

ここでの犯罪はギャング同士の抗争、麻薬、ドラッグがらみで、拳銃の打ち合いが毎日頻繁に起きている。その拳銃による殺人の犠牲者の72％は黒人であり、その中には子供や老人が流れ弾で亡くなるケースも多い。

また、拳銃の所持には州政府への届け出や認可が必要だが、ギャングや犯罪者は不法の拳銃や自動小銃で武装し、民家や商店に押し入って強盗やレイプをする。それに対してミドルクラスや女性たちが、拳銃を買って射撃の訓練を受けるというケースも大幅に増えている。

③ 拳銃は最後のイコライザー

私の身近にいる女性は、女性は男性より身体的には弱いが、拳銃を持つことではじめて男性と対等もしくはいざという時に優位を保てる、と言う。そのため、拳銃は弱い女性にとっては「〝Equalizer（致命的な武器）〟だ」と語った。

現在、米国民約3・3億人に対して、約4億丁の拳銃が米国で流通している。これは人口比で約120％となり世界ダントツの1位で、2位のフォークランド島の60％の約2倍である。そして、それらギャングやドラッグディーラーたちは何丁もの拳銃や自動小銃を持っている。

もし、政府が200ドルで「あなたの拳銃を買います」と言ったらギャングが「はい、そうですか」と、拳銃を差し出すだろうか？ 下っ端の中にはその金目当てで差し出す者もいるだろう。しかし、この政策はまったく現実的ではないという意味がおわかりいただ

近隣の客までが拳銃を持って店にやって来るようになった「シューターズ・グリル」

けるかと思う。

④拳銃所持ウェイトレスのレストラン・オーナーがコロラド選挙で勝利した

２０２０年の11月３日は大統領選だけでなく、各州の上院、下院議員選挙も同時に行われた。この中のコロラド州下院議員に当選した女性ローレン・ボーバートさんが大きな話題を集めている。

彼女は、コロラド州ライフル市（冗談でなく本当の街の名前）で、シューターズ・グリルというレストランのオーナーである。彼女の店ではウェイトレスが全員ガンホールダーに拳銃をぶら下げてお客に食事を出している。

２０１３年に店を開いて数年後、店内で１

人の男性が殴られて死亡するという事件が起きた。

その後、彼女が店で自分が拳銃を所持していることをオープンにしたところ、ウェイトレスたちから自分たちも店で拳銃を携行したいという声が上がり、今ではお客にも拳銃の携行を認めるという方針で、近隣の人たちも拳銃を持って、ここの名物のバーベキューを食べに来る。今では全米で有名な店となり、遠くはカナダから車で来る人もいるという。

彼女たちは定期的に、拳銃の扱いや不意に後ろから拳銃を取られた場合の訓練をしているという。

ホーバートさんは、この店で拳銃を所持することを認めているのは「われわれの合衆国憲法修正条項第2条を擁護するという一つのステートメント（主張）である」と語っている。現在彼女は、議会に登院する時に、拳銃の携行を認めるよう働きかけをしており、さらに論議を呼んでいる話題の新人下院議員だ。

5. 大都市の犯罪急上昇の現状とは？

以下、大都市では、前述の「警察への予算カット」の動きもあり、ますます犯罪率が悪化している様子を私のフェイスブックで記しているので引用したい。

「米国大都市での犯罪、銃撃急増の現実」
（2020年11月23日　シカゴ時間午前11時アップデート）

2020年の銃撃事件数は、ニューヨークでは95％、ロスアンジェルスでは32％、シカゴでは50％増加した。

ニューヨーク市警は、（民主党に支配される）ニューヨーク市議会は、ニューヨーク市警から犯罪者を逮捕する力を奪った」。

「われわれNY市警官は、（容疑者を逮捕することで）自分が逮捕される側にまわるのでないかとの恐れから、すでに逮捕を行うことができなくなっている」というメッセージを発表した。つまり、ニューヨークでは「法と秩序」の深刻な崩壊が起きている。

ニューヨーク市長デブラシオは、警察予選の$6 Billon（6千億円）のうち 1 Billion（1千億円）の予算を削減した。

これがニューヨークの現実だ。私が1980年代から1990年代にかけて住んでいた危険な犯罪多発都市だったニューヨークに後戻りしてしまったようだ。映画好きの方は１９７６年制作のロバート・デニーロ主演の「タクシードライバー」のニューヨークの街並みを覚えている方も多いだろう。

タイムズスクウェアは売春婦やドラッグディーラーの溜まり場だった。私もその時のタイムズスクェアをよく覚えている。90年代からNY市長になったジュリアーニ氏は、見事に犯罪者とマフィアを退治し、ニューヨークに観光客とビジネスを戻してくれた偉大な市長だった。

今年、米国の大都市では犯罪が激増していることは過去のＦＢ記事で何度も触れてきた。いくつもの理由が考えられるが、今年の過去の年との一番の違いはコロナ禍だろう。人々は仕事を失い、所得を失った。経済的打撃はコロナだけでなく、ロックダウンという政策によってそれら貧困家庭を直撃した。当然犯罪も跳ね上がることになった。

米国では3月からロックダウンが始まり、その一番大きな被害を受けたのは低所得者層であり黒人をはじめとするマイノリティだろう。

しかし、それ以外には6月から始まった大都会でのブラック・ライブス・マター（BLM）の暴動、略奪、放火などでそれら大都市以外でもミネアポリス、シアトル、アトランタなどは一部麻痺状態で無法地帯に陥った。それに対して、これら大都会（ニューヨーク、ロスアンジェルス、シカゴ等）をはじめ、他の都市はほとんどすべて民主党首長たちで、BLMの要求する「警察の予算カット」に従い、大幅に警察予算のカットを進めてきた。

私はこの事態を見て、すでにアメリカは「内戦状態」に入ったと判断した。

私のFB記事でも書いてきたが、すでに警官は「人種差別主義者」で「悪者」に仕立て上げられたことで、都会での警察官数の削減で犯罪現場に駆けつけることができない事態が起きている。さらに、これら警官がBLMによって「人々の敵」に仕立て上げられたことによって、警察官のモラルが大幅に低下している。

警察官の早期退職者が各大都市では急増しているし、すでに犯罪現場に急報があっても駆けつけないという深刻な事態が起き始めている。これが各大都市での殺人をはじめとする犯罪の増加に寄与していることは間違いない。

民主党首長や民主党によってコントロールされている市議会はこれら警察予算のカットを進めたが、それがこのような結果を招いている。

シカゴでは、2020年殺人による死者の数が700人を超えた。11月21日の週末だけで銃撃により46人が重傷を負い、6人が死亡した。中でも、殺人多発地域のサウスサイドでは例年の4倍に上っている。

すでに、対前年比で、銃撃と殺人は53%増加している。殺人の93%は銃によるもので、殺人事件の78%の被害者は黒人である。

(Chicago Sun-Times 紙　2020年11月23日付記事参照)

6. 大統領選の不正を主張して抗議デモを行ったトラック野郎たち

(2020年11月27日)

「各地でストライキを起こした業種、組合」

2020年、アメリカでは3月からロックダウンが開始した。生活に不可欠な最低限の業種（エッセンシャルビジネス）を除き、すべての店舗やビジネスは閉鎖された。その中でいくつかの業種でストライキが起きた。

コロナ禍が最初のピークに達し、米国各地で7月には病院勤務者、とくに看護師のストライキが起きてきた。これは、最前線の医療関係者に対して十分な感染防御用のマスクや医療用ガウンが不足しているという訴えだ。このストライキは秋口、この11月までも継続的に続いている。

①「教職員の抗議ストライキ」

その後は、夏から最初のコロナのピークが過ぎたあたりで、3月から夏休みまで休校かリモート授業の学校は、9月新学期の学校の開始が議論されるようになった。その時に、猛烈にこの動きに反対したのが全米の「教職員組合」を中心とする小中高、大学を含めた教員たちだった。

最大の理由は、子供たちはコロナ感染の重症化率や死亡率が著しく低いかもしれないが、彼ら彼女たち教員（とくに中高年教員）はリスクが高いので学校の再開に絶対反対だということであった。

コロナ禍絡みの看護師や病院勤務者は、現場の最前線にいるため一番感染リスクが高いというのは至極もっともな理由だ。しかし、教員がコロナ禍の最前線にいるわけではないだろう。この主張がアメリカで出てきたときに、すでにコロナ禍の最中、休校していた学校のように休むことができないエッセンシャルビジネスの生鮮食料品、スーパーの販売員、トラック運転手などは「われわれだって教員より感染のリスクが高い仕事にいる。そして、われわれはコロナを理由に休むことができない」という教員のストライキを表立って非難する声は大きくなかったが、確実にそれらの声は聞こえてきた。

②「トラック野郎がストライキ開始」

その中で、この11月に入り大統領選の結果がバイデン勝利との報道が大手メディアでは既成事実のように報道され始めた。

その時に、62000人のトラック運転手はベテランズデイ（退役軍人の日）後の11月11日に24時間のストライキを行った。

ストライキを行ったこれら大勢の個人のトラック運転手たちは「トランプ大統領は、この4年間、この国の非常に重要な仕事を担ってきたトラック運転手を含むブルーカラー労働者とすべてのアメリカ人の権利と自由を守ってきた。『（バイデン民主党が進める）フラッキング（水圧破砕工法）禁止』は石油とガス事業を破壊し、トラック運転手を含む数百万人の職を奪うことになる。

トラック運転手なしに、この国は長く生存することはできない。もしわれわれのリーダーが、トラック運転手らブルーカラー労働者を尊重せず、民主党首長の都市での国内テロを黙認し、フラッキング禁止を進めるのであれば、11月26日―29日（感謝祭にあたる）に4日間の"Stop the Tires"ストライキを行うことになるだろう」と発表した。

全米トラック組合"American Trucking Associations（ATA）"などは、民主党の下部組織ともいえ、長年の関係を持ち、これら組織はいち早くバイデン政権との良好な関係を築きたいと発表している。しかし、現場で働いているトラック運転手は、4年前から熱烈なトランプ・ファンが多いことはよく知られている。

ここから、アメリカのどの職種、クラスの人たちがトランプやバイデンへの支援をしているかの一つの目安が理解できるかと思う。

③「民主党と長く癒着関係にある各組合やユニオン」

これまで長年、組合、ユニオンと深い癒着関係にあった民主党はこの２０２０年大統領選もあらゆる手を使って、これら組合員、ユニオンメンバーを動員した選挙活動を行ってきた。しかし、現場の一線で働くブルーカラー労働者たちには大勢のトランプ支持者がいたということだ。トラック運転者の中には大勢の退役軍人が退役後自前のトラックを使って仕事をする個人事業主が多いという事実がある。

しかし、これはトラック運転手業界だけの話ではない。まだ法廷闘争の最中のスウィングステーツ（激戦州）のミシガン州デトロイトなどは3大車メーカー（GM、フォード、クライスラー）があり、その周辺の業種を含め近辺には数多くの工場がある。そしてその多くに組合が存在し、それら組合は基本的にすべて民主党と長く深い関係にあり、デトロイトは選挙活動に過去多くの不正選挙があった街だ。

④「大手メディア、毎度お馴染み偏向報道」

大手メディアでは、これらトラック運転手の11月11日のストライキはまったくと言っていいほど報道しなかった。看護師や教師たちのストライキは彼らも報道していた。私も毎日ローカル局で見たくらいだ。なぜならこれらはトランプとは関係なく、どちらかと言えばトランプのコロナ対策失敗に使えそうなネタだったため報道したのだろう。

しかし、この11月に入って明白にトランプ支持を掲げてのトラック運転手たちのストライキは、まったくスルーする。このことに彼らトラック野郎たちは怒っている。

彼らの力を過小評価しないほうがいい。トラック運転手は愛国者が多いことでも知られている。彼らは暴動や略奪のある大都市にも、必ず配達で訪れなくてはならない業種の人たちだ。安全な所にいるマスコミ・エリートやメディアに登場して好きなことを言える立場の人間たちではない。

もし、トラック運転手がストライキを感謝祭に行うことになると、スーパーの棚に生鮮食料品や生活必需品が並ばなくなるという事態も考えられるだろう。

7. 反乱を始めた米レストラン・オーナーたち

アメリカでは、ロックダウンをはじめ新型コロナに対する対策はほぼすべて各州の州知事に任されている。そして、それら州知事や市長たちは、12月の時点で再び厳しい規制をレストラン業界で始めた。そのレストラン業界の事情を紹介したい。

(2020年12月13日　シカゴ時間午後1時30分アップデート)

アメリカのいくつもの州で、コロナ陽性者の数が上昇し始めていたことで、多くの州でこの春以来の規制強化が起き始めている。

春先のロックダウンほどの完全閉鎖ではないが、とくにレストランやバーへの規制強化が一気に起きている。

添付したが、ニューヨークでの「コロナ感染のトップ五つの理由」として一番多い73・84%は「家庭内での集まり」で、レストランは5番目で感染率は1・43%に過ぎない。

カリフォルニア州ロスアンジェルス郡は広大なエリアだが、つい先日から最近まで大丈夫だった店外での飲食も禁止となりテイクアウトかデリバリーのみとなった。

また、ニューヨーク州ではクオモ知事が、現在25％のキャパシティまでで10時までの店内飲食を許可しているが、来週から店外のみに限定される。イリノイ州でも、現在店外のみ許可されているが、冬にはマイナス20度になるシカゴでは店外飲食は不可能だ。

①ニューヨークのバーオーナーの例

現在、至る所でレストラン・オーナーたちが立ち上がっている。

ここ最近ニューヨークのスタッテンアイランドのバーオーナーが特別ゾーンを店の前につくり、「この店は中で酒を飲めるようにする。ただし、金銭はもらわない。家寄付は受け付ける」というサインを出し、営業を続けた。従業員に給料を払い、家賃を払い、その他の支払いをするためにはやむを得ないことだ」と語って営業を続けた。

　それに対して、市のほうで警官を派遣し、店を閉めるように命令した。その動きに対して、店の前には1000人近い店のサポーターが集まり気勢を上げた。

②ロスアンジェルスのレストランオーナーの例
　ロスアンジェルスでは店外飲食も禁止されたわけだが、1人の女性レストランオーナーのツイッターに上げた痛烈な叫びが話題を呼んだ。

　オーナーのアンジェラは店内の飲食が禁止されたとのことで$80000（約900万円）の投資をして、店の外にテーブルと椅子を並べ、ダイニングスペースを作ったとたん、この規制が発表になった。ところがカリフォルニア州知事は、ハリウッドなどの映画界には優遇として、映画制作中のそれら制作チームが撮影するための屋外食事スペースには許可を出した。そしてその屋外食事スペースは、彼女の店のすぐ目の前にできた。

　その間、彼女は動画で撮影して「彼らは私のすべてを奪っていった。最後のチェックを持っていった。そしてその日に、この映画の撮影用屋外飲食スペースが私の店ているという。

の目の前にできた」と悲痛な叫びを上げた。彼女のところには多くの寄付が集まっ

③シカゴ郊外レストランで規制下オープンの店

私の住むシカゴ郊外でも、店内飲食が禁止という規制が開始されているが、すでに多くのレストランでは死活問題になっている。そのためこっそりと、あるいは堂々と外の看板に「OPEN」というサインを掲げて店内での飲食をさせているレストランも数多く出てきた。これらのレストランはすべて個人オーナーの店で、大手チェーンには一つもない。大手は財務的基盤もしっかりしているので、しばらく店を閉めてもさほど影響はないのと、多くの店舗を持つそれらの会社は、行政からのペナルティを受けたり、訴訟を受けるリスクは取れないということだろう。

しかし、個人経営の数多くの店は死活問題である。私もレストランのオーナーに友人がいるが、店外飲食だけでは損益分岐点には達しないという。テイクアウトとデリバリーだけではまったくやっていけない。そのため、アメリカのレストラン・

オーナーたちは、行政に対して自分の店と従業員を守るために立ち上がり行動を起こしている。

（abc 7News Los Angeles　２０２０年12月6日付記事を参照）

第3章

アメリカの医療、オバマケア、保険、黒人、生活保護、移民、大学の現実

想像を絶するアメリカの途方もない「現実」

私はアメリカで生活者として、ビジネスマンとして、また家庭人として暮らし、あまり驚くようなことがなくなったと思っていたが、それでもまだ驚くことが多い。たぶん日本に住んでいる方には想像もできないのではないかと考えられるアメリカの現実を、この章ではお伝えしたい。

1．米国の医療費と保険、オバマケアの「現実」

①医療費と医療保険の現実

よく日本でもアメリカに観光旅行で行く時には、旅行保険には絶対に入っていたほうがいいということは聞くだろう。なぜならアメリカの医療費がとてつもなく高いからということも聞いたことがあるだろう。では、現実にはどうなのかをお知らせしたい。

私はシカゴに渡ってから、大学に行きながら当時極真会館シカゴ支部長をされていた三浦美幸師範の道場で稽古し、四つあった道場の指導も任されていた。また、22歳と若く、年に2回ほどある全米大会にもトーナメントファイターとして出場していた。そのために一般の道場生よりも激しい稽古を三浦師範の下で行っていた。

その後、ニューヨークでは、会社での勤務後にも、当時グリニッジビレッジにあった大山茂最高師範の Oyama Karate Dojo で稽古する日が続いていた。このシカゴとニューヨークでの稽古や指導を通して得た経験と人脈は、私の宝物である。今でもニューヨークへ行くと、昔指導した弟子や後輩たちが大歓迎してくれる。

若い時からの無理な稽古がたたって股関節がかなり悪化していたり、それ以外にも40歳を過ぎてから痛み出した箇所がいくつもある。その中に右肩の腱板断裂があって、当初は痛みを我慢してハリやカイロプラクティックに通ったりしていたのだが、稽古ができなくなるのが嫌で10年ほど痛みを我慢して生活していた。

しかし、ポケットからものを取ることもできなくなり、ドクターに行ってレントゲンを撮ってもらったところ、肩の腱板断裂で手術をするしかないということであった。やるなら早いほうがいいということで、主治医の勧める近くの大病院で内視鏡手術を受けた。

私はBlue Cross Blue Shieldsという大手保険会社の毎月の掛け金も高い医療保険に加入していたのだが、この手術で私が支払った金額は合計10ドル（1100円）であった。もし、保険に加入していなければ、3万5000ドル（約380万円）かかっていたという。またその後、大丈夫と思っていた左肩も同様にひどくダメージを負っており、腱板断裂の手術をしたが、支払いは同じく10ドルであった。

もう一つの例は、私の妻の緊急胆石手術だ。発見がもう少し遅れていたら危ないという状況で、彼女の場合は、確か手術後も数日間入院していたと思う。この場合の請求金額は100ドル（11000円）であった。もし保険がなかったら、4万5000ドル（約500万円）であったとのこと。これがアメリカの医療の「現実」である。

②オバマケアの現実

オバマケアの名前は日本でも知っている人が多いのではないだろうか。低所得層の人たちにも全員医療保険への加入を義務付けるということで、国民皆保険のないアメリカで素晴らしい業績を上げたというようなイメージではないだろうか。多くのアメリカ人も、大きな期待を持ったことは事実である。ただ実際オバマケアになってから、ミドルクラスの毎月の保険料支払い額は約2倍に跳ね上がってしまった。

米国の医療保険は、保険の種類にもよるので簡単には言えないが、4人家族で、家族全員をカバーする場合は平均で月に1200ドル（14万円）くらいにはなる。こうなると、ミドルクラスでもなかなか保険に入ることができない状況になっていた。

そしてオバマケアは、アメリカでもカナダや北欧、日本のような国民皆保険制度を導入しようということで開始したものである。高齢者や貧しい人には政府系の低額の保険もあるのだが、オバマケアでは、米国民すべての人が必ず保険に入らなければならないという法律を作った。

これによって何が起きたかというと、アメリカには数多い黒人やマイノリティを中心とする生活保護を受けている多くの低所得家庭と無所得家庭の人たちの保険料を、ミドルクラスが負担するという結果になってしまった。ミドルクラスが今まで払っていた毎月の保険支払い額が、最低でも倍になったのである。

私の妻は長く大学で働いており、彼女の大学での医療保険は、大学が保険料の半分を支払ってくれるアンブレラという制度なのだが、オバマケア施行後は、それまでの月に300ドルの保険料支払いが600ドルに跳ね上がった。

また、このオバマケアによって企業の負担も跳ね上がり、私の周りの中小企業の経営者たちは悲鳴を上げたわけである。その後、妻が退職し、私は個人事業主扱いの保険となったのだが、家族4人で毎月1800ドル（約20万円）の医療保険料支払い額となってしまった。

現在、アメリカの個人破産の一番の要因で約半数を占める理由は、保険のない人が医療機関で高額のガン治療や手術を受けて、支払いができず個人破産を申請するというケースである。私はいつも日本の国民健康保険は日本の宝であるというのが持論だが、このような米国の事情を知ればおわかりいただけるだろうか。これがオバマケアの現実なのである。

③ドクターの医療訴訟用保険の現実

アメリカが訴訟社会であるのは多くの人もご存知だろう。これも各州によってかなり差があるのだが、患者が診察を受けてその治療が不備であった、あるいは診療過誤などがあった場合、アメリカではすぐ訴訟になる。それを推奨する弁護士もあり余っているのが現状だ。

そうなると、開業医たちは自分を守るために保険に入らなくてはならない。どの分野のドクターかにもよるが、イリノイ州ではそうしたドクターのための医療訴訟用の保険負担が他の州と比べて非常に高く、年間10万ドル（約1100万円）と言われる。

しかし、隣のインディアナ州やウィスコンシン州に行くと、患者がドクターを訴えることのできる訴訟金額に限度（CAP）があり、それらの州で開業するドクターにとって、保険負担額はそれほどではない。そのため整形外科など最も訴訟を起こされやすい分野のドクターは、それらの州に移ってしまうということが起きてきた。最近シカゴで腕がいいと評判の整形外科医は、なんとウィスコンシン州に1棟豪華な手術専門の診療所を設けて、すべての手術をそこで行っているということであった。

④ 性転換者の女子トイレ使用の現実

オバマ政権時代、性的少数者に対して、非常に極端な政策がとられてきたことは日本ではあまり知られていない。

オバマ政権は、男性から性転換（Transgender）した女性が、女性用トイレや女性用シャワールームに入る権利を認めた。州によって施行の違いはあるが、私の住むイリノイ州では、車で自宅から20分ほどのパラタインという市の高校で、この問題を巡って訴訟が起きた。性転換をした女子生徒（以前は男子生徒）が、「自分は女子生徒なので女子トイレや女子シャワールームに入る権利がある」と主張したのである。

また、私の住むエリアの高校では、女子生徒のシャワールームに突然中年の男が入ってきて、自分は「性転換した女性である」と主張して座り込むという事件も発生した。当然女子生徒、学校側、母親たちも怒りを持って排除しようとしたわけだが、外見がどうであれ本人がそのように主張したら、その性転換者の権利を認めるというのが当時のオバマ政権の見解だった。これは、オバマ政権の性的少数者たちの権利を大幅に認めるという政策のもとで実施されていたものだ。

当然ながら、女子生徒を持つ母親たちは大反対し、高校や所轄当局を相手取って訴訟を起こした。私の家庭でも当時高校生と中学生の娘がいたので、この話題は妻や母親たちの間で大変話題になった。わかりやすい例かと思う。

2020年2月、この4年に及ぶ全米でも大きな議論をよんだパラタインの高校生が訴えた事件は、訴えられたPalatine-based Township High School District 211が、15万ドル（約1600万円）の和解金をこの生徒に支払うことで決着をみた。

もしバイデン政権となり民主党左派が政権の中枢を担った時には、これらの動きはさらにエスカレートしていくことになるだろう。

2．黒人の貧困、生活保護家庭の現実

①生活保護の現実

ここでは、現在アメリカの底辺にいる黒人の貧困と生活保護の現実を見てみたい。しかし、最近はアフリカ系アメリカ人と呼ばれる黒人を、十把一絡げにはできないことを最初

に申し上げたい。最近はミドルクラスの黒人も多くなっているからである。

第1章で紹介した私の空手の弟子のポール・ラティマーのようにコロンビア大学MBAを卒業して大手の金融機関を渡り歩き、今では自分で金融コンサルティング会社を経営しているような人間もいる。私の知るブラック・アメリカンには、さまざまな分野で大活躍している人たちも多い。またその中には最近の傾向として、保守系の黒人も増えてきている。その半面、シカゴのウェストサイド、サウスサイドというダウンタウンに隣接したエリアには、依然として低所得や無所得で生活保護を何世代にも渡って受けている人たちが大勢いるという現実がある。


私の会社で長く働いている女性スタッフは、以前、生活保護を受給する人たちや生活保護関係者たちとも仕事をしたことがあり、彼女からその実情を聞くことも多い。

一つには、アメリカでいう「生活保護」の概念じたいが日本で言う生活保護とは、かけ離れているということだ。これは説明なしには理解できないだろう。シカゴのダウンタウンに隣接する低所得者の住む巨大なエリアには、4世代から5世代に渡って生活保護を受けている家庭がたくさんある。

5世代と聞くと、日本人はまさかと思う人も多いだろう。しかしここに住む女性たちの平均妊娠年齢は、15歳から16歳である。高校へ上がるかどうかの年齢だ。そうなると子供も母親と同じようになるパターンが多く、その子供も15歳くらいで妊娠することになる。つまり、母親は30歳過ぎたくらいでおばあさんになってしまうという連鎖が起きる。

そして、現在の黒人の家庭で最も大きな問題と言われている「家庭に父親がいない」という状態が、女性の妊娠の低年齢化の大きな原因だと言われている。

これらの低年齢で妊娠した女性（子供？）は、ほとんど結婚はしない。父親がわかっているケースでもほとんど結婚はしない。その理由は、シングルマザーで赤ん坊が生まれるとすぐ政府の補助対象になるからだ。

出産、医療費、学費、教科書代、養育費、食費（昔はフード・スタンプと言われていたが現在は補充的栄養支援プログラムという）などすべてが補助の対象になり、簡単に言うとほとんど生活費がかからないようになっている。

子供の数が多いほど補助金額も増える。食費の補助も2020年で4人家族だと646ドル（約7万円）、7人だと1018ドル（約11万円）が毎月支払われる。

この黒人家庭の最大の問題は「父親が不在」だという指摘は、現在保守派黒人活動家でソーシャル・メディアの新しいスターと言われるキャンデス・オーウェンズ氏も同様に語っている。

彼女は最近ベストセラー入りした著書『ブラックアウト"Blackout"』で、長年民主党が黒人票獲得のために黒人への生活保護やさまざまな補助金などで餌付けしてきたことは、黒人コミュニティにとってきわめて有害であったと指摘している。なぜならこれらの甘い政策は、「黒人コミュニティが自らの力で貧困から立ち上がり、独立してアメリカンドリームの達成者として生きていくことを阻害してきたからだ」と語っている。

オーウェンズ氏は、今こそ民主党による長年の黒人に対する誤った政策から三つの脱却を図るべきだと語る。その三つとは、黒人コミュニティによる「依存からの脱却」「黒人であることが犠牲者であるとの認識からの脱却」「長年の誤った洗脳からの脱却」をさす。

彼女は、黒人コミュニティの最大の問題は、人種差別でもなく、不平等でもなく、医療や治療へのアクセス欠如でもなく、最も必要なのは「銃を規制する有効な法律の整備」だと語る。

さらに、黒人コミュニティが抱える最大の問題は「家庭に父親が不在」であることだとも指摘している。以下、氏の著作からポイントを引用してみよう。

エコノミストのウォルター・ウィリアムスは、1940年に結婚以外で誕生した黒人ベイビーの割合は、12％だったと語った。それが、1965年には父親不在の家庭に生まれた黒人ベイビーの割合は25％に上昇した。統計では、父親不在の子供たちは学校の不登校率が上昇し、貧困に陥り、犯罪に走りやすく、鑑別所や刑務所に入る確率が非常に高くなるということがわかっている。

2008年にまだ大統領に就任していなかった当時のオバマ上院議員は、「黒人家庭の半分が父親不在の家庭であり、それはわれわれの子供時代と比較して倍々で伸びている。父親不在の家庭で育った子供は、貧困に陥り、犯罪に走る確率が5倍以上になり、学校からのドロップアウトの確率は9倍になり、そして刑務所に入る確率が20倍になることがわかっている。彼らは素行と態度に問題が多く、家庭から逃げ出し、自らが若いティーンエージャー時に妊娠することになる。これらは、われわれのコミュニティを弱める結果になっている」と語った。
現在、米国疾病予防管理センター（CDC）は、父親不在の家庭に生まれる黒人ベイビーの確率は70％に近いと発表している。

1997年のタイム誌とCNNの統計では、白人と黒人の若者への質問で、「アメリカでは人種差別が大きな問題であるか」との質問に、過半数が問題であると答えた。しかし、黒人のティーンエージャーへの「人種差別は、大きな問題か、小さな問題か、まったく問題ではないか」との質問に対して、89％の黒人の若者は、「人種差別は小さな問題か、まったく問題ではない」と答えた。

現在、白人の若者の「防ぐことが可能な死の要因」は、交通事故などの事故死だ。対して、黒人の若者の「防ぐことが可能か、不可能かの両方の死の要因」は、自殺とそしてほとんどのケースは「他の黒人によって行われる黒人への殺人」だという統計がある。

現在、年間50万件の殺人以外の暴力事件がアメリカで起きている。

ＦＢＩによると、「黒人の襲撃者による白人が犠牲者の犯罪が90％を占め、白人の襲撃者による黒人が犠牲者の犯罪は10％に過ぎない」とレポートが出ている。

（引用終わり）


これらの統計を見ても、民主党指導部やブラック・ライブス・マターが掲げる「現在アメリカの最大の人種問題は、白人優越主義者の暴力や、警察や社会に組織的に組み込まれた『人種差別主義』だ」という主張が誤っていることが明白だろう。彼らは、人種問題を自分たちの集票や金集めのために利用しているに過ぎない。

② ベイビー・ダディの問題とは？

２０２０年の共和党大会の中で何人ものスピーカーが次々とトランプ大統領をサポートするスピーチをしたわけだが、私は一人の黒人運動リーダーのスピーチに注目した。

彼は「黒人は黒人社会のさまざまな自分たち自身の問題に真正面から取り組むべきで、それらはすべて政府や人種差別が原因だという環境のせいにしてはならない」という趣旨のスピーチをした。その彼が最も強調していたのは、現在の黒人社会の貧困や家庭崩壊などの一番大きな要因は「家庭に父親がいない」ということだと語った。

先ほど、低年齢で子供を産んだカップルが結婚しない理由に、そうしたほうが母親世帯に政府からの補助が出て、経済的メリットがあるからだと書いた。そして、その父親のほうにも結婚しないほうがいいメリットがある。もし、結婚していたとすると、その父親が子供の食費をはじめ、養育費を払うよう政府からの厳しい追及があるのだ。当たり前だろう。しかし彼らはそれを嫌がる。そのため結婚はしない。

そのような子供の父親は「ベイビー・ダディ」と呼ばれる。そうなると母子家庭、それも子だくさんのシングルマザーの家庭が増えるということになる。前述のように、そのほうが政府から住居費、養育費、医療費、食費等がカバーされるからだ。

しかし、小さい時から父親がいない家庭はさまざまな弊害もある。それに対して最近、黒人の指導者の中からも、このベイビー・ダディ問題を正面から改善するべきだと強く主張する人々が増えてきた。至極もっともなことである。ここに低所得の黒人家庭の持つ根本的な問題もあると考える。

（2020年11月5日）

反トランプ御本家新聞ニューヨーク・タイムズ紙のリベラルコラムニストが、「私はこのようなことを個人的に言わなければならないことに非常に落ち込んでいる」と語った。

「それは、トランプに対する、黒人男性、LGBT（性的少数者）からの投票数が2016年に比べて2倍に増えていることだ。ラテン系やアジア系からの支持も上昇している。」

黒人男性のトランプ大統領への投票率は、2016年の8％から18％に上昇し、LGBTの28％が今回の大統領選でトランプ大統領へ投票した。

この数字は高いものではないと思われるだろう。しかし、これは共和党大統領としては、60年ぶりの高い有色人種からの支持率である。トランプ大統領は、多くの黒人社会への支援プログラムをこの4年間で行ってきた。

日本の大手メディアでは、果たしてこのような「現実」を報道しているのだろうか？

③政府の低所得者住宅「セクション8」の現実

アメリカでは貧困層の人たちは、政府が所有する低所得者専用のプロジェクトと呼ばれるアパートメントに住むことができる。所得にもよるが、家賃はまったくゼロ、もしくはわずかな負担ですむ。

さらに、住居でいうと、これは州単位ではなく全米規模の法的措置なのだが、私が今住んでいるシカゴ郊外でも、以前住んでいたニューヨークにもあった「セクション8」という特別の法律で建てられた建物や地区がある。これは、黒人街だけに集中して低所得者が住むことは好ましくないので、政府が補助して郊外や治安のいい場所に建てられた建物に、これらの低所得、生活保護世帯が格安の家賃で入居できることを奨励する制度である。

もしディベロッパーが、例えばマンハッタンからも通勤の便のいい対岸のニュージャージー州に高層ビルを何棟か立てる計画を立案したとする。地理的にもマンハッタンから近く、抜群の立地条件を持つその建物のコンドミニアムの家賃は通常は2ベッドルームで月平均2000ドルを超える。

しかし、政府系住宅機関であるHUDは、このコンドミニアムに入居する低所得者に対して通常の家賃の50％以上を支払う。つまり生活保護を受ける世帯であれば月に数百ドル、あるいはそれ以下でも入居できることになる。インテリア、ロビーなどもお洒落で立地も抜群の場所である。ディベロッパーは、こうした低所得者の入居を受け入れることになる。

なぜかと言うと、これらの建設プロジェクトに対して国からの大幅援助があり、さまざまな優遇制度があるからだ。これも州によって差があるので一概には言えないが、シカゴにも同じくこの「セクション8」地区が多く存在する。

3．移民問題の現実

アメリカは移民の国である。最初にアメリカ大陸に住んでいたのは、先住民族でネイティブ・アメリカンと呼ばれるインディアンだったわけで、そこへ白人がヨーロッパから来て、東部から開拓を始めたわけである。

その後アフリカから大勢の黒人を奴隷として連れてきて、すでに奴隷解放から長い時間が経っているにもかかわらずアメリカで人種差別が残っているのは事実であり、それに対して2020年再燃した黒人差別抗議運動やBLM運動は、ある意味この国の抱える歴史的な宿痾のようなものだ。

しかし、何度か述べているが、キング牧師が提唱した平和的抗議運動に対しては大勢のアメリカ人は支持しているが、現在のような過激なテロ組織であるアンティファやBLMに率いられた略奪、放火、一般市民への暴行を支持する人は誰もいない。

アメリカで移民問題を語る時にひとことで語れない理由には、このアメリカ社会が最初の白人の入植者たち（宗教上の理由で英国国教会の圧迫から逃れてこの国に来たプロテスタント教徒）をはじめ、その後に移民してくるイタリア系、アイルランド系、ポーランド系、ロシア系、ユダヤ系、アジア系を含めた多種多様な人種が作ってきたメルティングポットであるという現実があり、それらの移民もそれぞれ違った差別を受けてきたという歴史があるからだ。

① メキシコ、中南米からの移民の現実

アメリカで現在、移民問題と言う時、メキシコを中心とする中米や南米からの移民を指す場合が多い。これはとくにメキシコはアメリカと長い国境を接していて、昔からほとん

ど国境はあってなきに等しい状態であったからである。また歴代の政権がこの不法移民に対して片目というよりほとんど両目をつぶってきたのには複数の理由があるが、経済的な理由も大きい。

メキシコは、アメリカと比較すると極端に貧しい国である。そして貧しいメキシコ在住の人々には収入を上げる手段もほとんどない。しかし国境を越えれば、そこには、たとえアメリカでは最も低い賃金しか払ってもらえないようなレストランの皿洗い、バスボーイ、庭の手入れの手伝い、大型農場の果物の刈り取りの仕事であっても、メキシコに比べると格段にいい稼ぎ口がある。とくに歴史的にカリフォルニアなどの巨大な農場経営者などは、これらメキシコからの不法移民に頼らなければ経営が不可能という農場も多い。

そのため政治家が、不法移民はよくないという発言はしても、今まで実際に効果のある政策は一度も取られてきたことはなかった。そしてそれらのほとんど不法に入国してくる人たちが得る収入は、アメリカでは最低水準であっても、それをメキシコへ送金すると、残してきた家族を十分に養える金額なのである。これは日本へ出稼ぎに来る東南アジア諸国からの人たちとも共通するものがあるだろう。

しかし、最も大きな問題はドラッグである。すでにアメリカには想像を絶する数のドラッグ中毒患者がいる。カリフォルニアを筆頭に、いくつもの州ですでにマリファナが合法化されていることはご存知だろう。カリフォルニア州では、その動きを見越してマリファナを育てる業者が大量に出現した。現在、州内の需要をはるかに上回る量を生産しているため、余ったマリファナを他のマリファナ未解禁の州に法律違反を承知しながら出荷していることが問題になっている。

そして、そのマリファナ以上に強力な禁断症状を起こすコカインなどの薬物の大半がメキシコ国境を渡ってアメリカにやってくる。一つにはメキシコには、大ボスの支配する麻薬密売組織がいくつもあって、長い間しのぎを削ってきたという歴史がある。

メキシコで育てて精製した禁止薬物が、米国との国境を通して、アメリカのマフィアやそれ以外の麻薬密売組織に渡ってきていた。また麻薬やドラッグの密売組織は、アメリカに出稼ぎに行きたいという人たちから大金をとって違法に国境を越えさせる実働部隊を持っていて、それらの男女や子供を「運び屋」として使ってきた。

その中では人身売買も多く行われている。若者は借金のかたにアメリカにある組織の手伝いをさせられたり、若い女性はそのまま性産業へ売り渡される。

彼、彼女たちはその後、何度もいろいろなところへ売り渡されていくことになり、それは日本にいると想像できない世界だろう。これらメキシコの密売組織は、彼らに麻薬の運び屋をさせ、国境越えの密入国で高額の手間賃を取り、アメリカに着いてからは人身売買をしてと、彼らからダブル、トリプルで稼ぐのである。ペンス副大統領が発言していたが、ドラッグは1回販売されればそれで終わるが、人身売買はその後何度でも稼げるという悪質性がある。

つまり、多くのメキシコ国境を越えてくる人たちは彼ら自身は悪人ばかりではないが、それを仕切っている麻薬カルテルのギャングたちはアメリカの大手上場企業より大きな収益を上げ、それらカルテルのボスたちは上場企業のCEOたちよりも大きな収入を得ていることも珍しくはない。

彼らはメキシコ政府の政治家、官僚、弁護士、裁判官、検察官、警官と、ほとんどすべてに賄賂を配り、自分たちの利権を守っている。それに対して少しでも従わない人たちは見せしめに残虐な殺され方をする。この何十年もそのようなことが頻繁に起きている国が米国の隣にあるということである。

②偽の身分証明書の裏事情

メキシコからの合法の移民もたくさんいるのは事実であるが、その後ろに2千万人から2千5百万人（あまりに多過ぎて正確な統計はない）とも言われる不法移民がすでにアメリカには住んでいる。その場合でも、彼らは、ほとんど自動車免許証を持っている。なぜ不法移民が持てるのか不思議だと思われるだろうが、ほとんど偽造免許証である。

偽の運転免許証を作成するプロセスは多くの場合、以下のようになる。まずは、すでにアメリカで合法的な永住権を持っているメキシコ人が選ばれる。この人は合法移民なので、役所に行ってもその存在はあるわけだ。そこで、本人の知らないうちに偽の免許証を作成する専門の業者が、この実在の人物の名前とソーシャルセキュリティ番号を入手して、依頼者の写真を貼って偽の免許証を作成するのである。

そして、この「成りすました」不法移民は、その運転免許証を身分証明書（ＩＤ）として、役所でも病院でも行ってさまざまな米国市民としての生活保護や医療費を受け取るというケースが多い。

運転免許証はアメリカではパスポート代わりの身分証明書（ＩＤ）となり、これがないと車も借りられないし、病院での診察も受けることはできない。また、偽の免許証を調べることは公共の機関などでもほとんどない。仕事の面接を受ける時でも、偽の免許証で十分である。わかったところでシラを切るだけである。

また、何かの理由で不法移民を取り締まる米国移民関税執行局（ＩＣＥ）の捜査官が来て拘束され、不法滞在がわかると本国へ強制送還されることもあるのだが、まったく知らん顔して、再び別の名前とパスポートで入国して働いているということも頻繁に起きている。

私の親戚で大手の医療機関の人事に勤務する人がいるのだが、ここにも低賃金の掃除スタッフや食堂のヘルパーの仕事で、多くの不法移民が面接にやって来る。その運転免許証が偽物かどうか一応ソーシャルセキュリティ番号を照合するわけだが、実在の人物だと、それ以上、そこでは追及できない。

例えば、不法入国して低賃金で働いている若い女性がいる。彼女は偽の免許証を持っているのでそれらの職に就くことができ、低所得者ということで政府から保険の補助を受給している。しかし、例えば妊娠することがあると、彼女はその安い保険も止めてしまう。なぜかと言うと、保険に入っていてもある程度の出産費用は負担しなくてはならないが、保険がない場合は出産しても支払いをしなくてもすむからである。アメリカでは現在、不法移民であってもこの国に居住している限り、所得が低い場合は、ほとんどの医療費、教育費などが政府の負担で支払われる。

③錨(いかり)（アンカー）となるベイビー

アメリカでは、アメリカで生まれたベイビーは自動的に米国市民権を獲得することができるという法律が長い間存在している。そのため他国からアメリカに短期滞在して、米国でベイビーを出産するケースが大変な数に上ってきた。これらは中南米の国にかかわらず、最近は中国から臨月の女性が米国に来て米国で出産し、その子供に米国市民権を取得させてから、後ほど親たちが米国市民権を申請するという例が急増した。生まれた子供は21歳になると、両親のグリーンカード（永住権）の申請ができる。これについてはトランプ大統領がこの制度に反対の意見を表明し、法改正を試みたが、人権問題が絡んでその進展はほとんどない。これも日本にいては信じられないような「現実」だろう。

④ メキシコ国境の壁の現実

私の友人の息子さんで、アリゾナ州にあるメキシコ国境沿いの国境警備隊で働いている人から話を聞くことがあったが、その実態はまさに映画さながらだ。

メキシコの麻薬カルテルは、メキシコ人が勝手に個人で違法越境することを許さない。自分たちの縄張り内での勝手は許さないという考えで、迷彩服を着てライフルなどで武装した麻薬カルテルの連中が監視している。彼らが、国境警備隊の相手なわけだ。

反対に、一時メディアでもだいぶ取り上げられたが、親が「子供だけ行ってこい」と国境に送るケースもある。これは人道的に子供を追い返すことはできないという過去の政権の政策を逆手に取った行動であったが、トランプ大統領は人道的に保護した後にメキシコに戻すという政策を取った。

このような事情が、トランプ大統領がメキシコとの間に巨額の資金をかけて壁を建設するという政策の背景にはあった。この長い国境沿いすべてに壁を作るわけでなく、密入国が最も多いエリアに集中的に壁を作っているわけである。長く現場で移民官をやっている幹部からの「壁は確かに効果がある」という進言もあって、トランプが実行に移した経緯がある。

トランプ大統領がメキシコ国境との間に「壁」を作った理由をおわかりいただけただろうか。これも日本にいると理解できない「現実」だろう。

⑤「郵便投票」と「不在者投票」の現実

（この記述は2020年夏の時点で書かれている）

2020年の大統領選でトランプ大統領は、郵便投票に強硬に反対していたわけだが、これも日本にいる人にとっては理解できない「現実」だろう。米国の郵便投票には2種類あって、一つは「不在者投票」で、直接本人が身元確認の証明書を提出し、米国市民であることと有権者であることを証明した後、郵便で投票する。

もう一方の「郵便投票」は、過去いくつもの州でさまざまな不正が行われてきた経緯がある。例えば、州政府が投票用紙を住民台帳をもとに発送するわけだが、その台帳そのものが十分に管理されておらず、すでに死亡している人に送られるなどということがよく起こる。
また私の友人の知り合いに不法入国したメキシコ人がいたのだが、彼は二つの偽造の運転免許証を持っていて、役所でもどこでもそれを持って行って用を足しており、なんと、その二つの免許証にそれぞれ投票用紙が送られてきたという。このようなことは枚挙に暇がない。

さらに日本郵便と違い、米国郵便公社（USPS）への信頼は米国では著しく低いことはアメリカでビジネスをしている人には周知の事実である。とにかく郵便物が紛失することが多い。また、私の自宅にも多い時は月に4、5通も近隣の違う人の郵便物が届くことがある。そのため、われわれビジネスマンは重要な書類や商品などは絶対に郵便を使わずに、日本でいう宅配便のフェデックスやUPSというサービスを若干高額だが安心できるため使用することになる。

不法移民によるさまざまな問題は多いが、この不法移民による不法投票は見逃せないほど数が増えているという指摘がある。日本で最近は増えている不法滞在、オーバーステイの外国人が偽のパスポートを使って有権者として投票を行うということを想像してもらったらわかりやすいだろう。

その後、11月3日の大統領選では、トランプ大統領が予言していたように、「郵便投票の不正」が大統領選の大問題として浮上してきた。私の見るところ、民主党は2016年の大統領選での手痛い敗北の後、各スウィングステーツ（激戦州）でこの郵便投票不正の準備を着々と進めてきたと見ている。その後、トランプ弁護団による各州の裁判所や最高裁への訴訟は、審議をする前に却下となった。つまり、法廷は不正選挙があったかどうかの審議をすることを拒否したわけで、一番重要な「不正があったか、なかったのか」に対する答えが出ていない。

これは、この国の選挙システムへの大きな不信に対して、裁判所がその審議を拒否したということで将来に大きな禍根を残すことになった。

4. ユニオン（組合）問題の現実

ユニオンの問題は、日本でいう労働組合とある意味まったく違う、この国の特殊な問題だ。ユニオンといえば日本の労働組合で、その存在じたいが悪ということではないと日本の方は思うだろう。ただ、アメリカのユニオンにはさまざまな種類があり、ユニオンそれぞれに特有の問題があって、とてもひとことで語ることはできないが、ここでは私が個人的に体験したユニオンとのエピソードを語ってみたい。

私のアメリカでの初めてのユニオンとの出会いを紹介しよう。

それはシカゴで大学2年生の頃だったと思う。シカゴにはマコーミック・プレースという全米でも3本の指に入る巨大なコンベンション会場がダウンタウンの南側にある。この会場では世界でも有名なオートショーなど、参加者が十数万人単位の展示会がいくつも開かれる。シカゴのビジネスの大きな柱になっている場所である。その中でも規模の大きさと長い歴史を誇る「インターナショナル・マニュファクチュアリング・テクノロジーショー（IMTS）」という展示会がある。これは日本語では「国際工作機械見本市」ということになる。

当時シカゴには、このような大きな展示会のブース設定からその他すべての世話をする会社があった。１９８０年代前半、私はこの国際工作機械見本市で、日本の工作機械メーカーの展示ブース設定を監督し、ブースを設定するユニオンとの交渉の通訳を頼まれたのである。大学生の私にしては時給もかなりよかったことを覚えている。しかし、実際に始まってからは毎日が驚くことの連続であった。

工作機械なので、一コマのブースはかなり大きなスペースになり、そこにカーペットを敷くことから始まり、マシンの搬入と据え付け、電気やガス、水道が必要になる場合もあるが、それぞれのブース設定はカーペンター・ユニオン、電気はエレクトリシャン・ユニオン、ガスはガス・ユニオンと何種類ものユニオンの人たちとの話になる。

まず一番の問題は、会場のマコーミック・プレースで働く人たちはすべてユニオン（組合）に加入しないといけないことである。出展者側からするとそれらのサービス、つまりブース設定の部材やデザインなどを決めて作成するためには、会場のカーペンター・ユニオンの担当の人間にしか頼めないことになる。そして、こちらに選択権のない彼らの１時間当たりの時給がめちゃくちゃに高いのである。ユニオン以外で普通に頼んだ場合の相場の2～3倍どころか、5～10倍くらいする場合もある。

そしてブースに来たそれらのユニオン・ワーカーの仕事がのんびりしていることには驚かされた。時間通りくればいいほうだと考えるしかない。また、彼らは自分たちが請け負う仕事は絶対に他の人たちには渡さない。これは何か理屈に合っているようだが、要はこういうことである。その仕事を自分がした場合には、その法外な料金を展示者から取れるという単純な理由である。

国際工作機械見本市には、当時から日本の一流企業の小松製作所、東芝機械（現芝浦機械）、アイダなど大手のほか中堅企業の参加も多かった。私はこの後も数年このアルバイトをやったが、仲よくなった経営者やエンジニアの中には私のことを気に入り、ずいぶんかわいがってくれた方もいた。

これは実際あったことだが、一度据え付けたマシンを1インチ動かすこともこれらユニオンの連中に来てもらってやらなければならない。大きなマシンは大きなフォークリフトを使わないとできないが、小さなマシンは自分たちで動かせる場合も多い。一度、エンジニアの人がマシンの位置を修正したいと自分でその設定場所を変えたことがあった。ところが、その翌朝行ってみると、そのマシンは壊されていた。無論、ユニオンの誰かがやったことである。このようなことになるということは事前に日本のエンジニアたちには伝えていたが、彼らは自分のマシンは自分の子供のような気持ちで接していることも多く、つい日本でやっているようにやってしまったのだろう。しかし、このようなことは頻繁に起きていた。

その後、自分の会社を立ち上げてから、ロスアンジェルス、ニューヨーク、オーランド、マイアミ、ラスベガスとそれぞれの展示場で出展するために各会場のユニオンと数多くの仕事をしてきたが、押しなべてほとんどがこのような調子であった。

何しろ、その仕事はその場所でそのユニオンの加盟業者にしか頼めないわけであり、ある意味いつも王様のように振る舞っていると言っていいだろう。こちらは支払う側でお客さんなのだが、彼らはいつも「あんたたちのためにやってやっているんだよ」という横柄な態度が見え見えで不快な思いをしたものである。これが、アメリカのユニオンの現実である。

5. 左傾化を続けるアメリカの大学の現実

現在のアメリカの大学の左傾化は驚くばかりの状態になっている。以下の統計にある過去30年で起きたアメリカの大学での左派系教授数の驚くべき増加は普通のアメリカ人でも驚く内容だろう。

しかし、この何年もキャンパスで起きていること、学生へのきわめてリベラルな、さらには社会主義礼賛の教育方針、そして大勢の学生が社会主義を支持しはじめ、民主党社会主義者バーニー・サンダースの支持層の多くが大学生であることなどを見れば一つの結論にたどり着く。

中国共産党政権がずいぶん早い段階からアメリカの政治家や議会、それも地方議会に資金を出し、工作員をそれら地方議員へ接近させてきたことはFBIをはじめ、米国中央情報局（CIA）のトップたちが最近になってきわめて大きな脅威だと警鐘を鳴らし始めていることからも明白だ。

これら地方政治家から連邦上院、下院議員、また大学をはじめとするアカデミズム界、ほぼすべての大手主要メディアがリベラルと左派になっている現実などを見れば、中国共産党政府が、長い間タネを蒔いて、英語ではスリーパー（何十年も前から将来影響力を持ちそうな人々に接近して近づき信用を得て、目的を達成する工作員）という人間が米国の大きな影響力を持つ分野に浸透してきたと言える。

大学の左傾化には、私のように大学内部にはいないビジネス界の人間でもその激しさに驚くことが多い。

この事実をカリフォルニア大学のジョン・エリス教授が簡潔に語ってくれた。私のフェイスブック記事を添付したい。

「すでにアメリカの大学に言論の自由はない」

（2020年11月30日　シカゴ時間午前11時15分アップデート）

（Fox News "Live, Liberty, Levin" 11月29日参照）

この5月から、アメリカではジョージ・フロイド事件をきっかけに、大都市で大規模のBLMやアンティファによる暴動、略奪、放火が起きた。奴隷主だったとBLMに非難された建国の父ジョージ・ワシントン像や、それ以外の多くの歴史上の人物の銅像破壊が行われた。これら銅像破壊は、過去の歴史を否定する共産主義国家では頻繁に行われた行動である。

私は過去のFB記事で幾度も述べているが、ブラック・ライブス・マター（BLM）はBLMグローバル・ネットワークという4人のマルクス主義者（自ら公言）によって創設された危険な政治的組織だ。BLMとアンティファによる運動には、大勢の白人の若者が参加していることがよく知られている。活動家には学生も多い。

学生がこれらアンティファにリクルートされていくのにはいくつかの理由がある。一つには1日あたり$100の日当が支払われる。また、3月からのロックダウンで学校はほとんど閉鎖状態で学生も教師も暇である。しかし、一番重要な理由は以下である。

これは、過去数十年、静かにキャンパスで進行していた大きな左傾化の潮流がある。

私の妻は長くシカゴ郊外の私立大学で勤務していたが、トランプ支持などは間違ってもキャンパスでは言えなかったという。その反対のバイデン支持は堂々と言えるのである。

なぜか？　すでに大学は大きく左傾化して、反対意見を言うことを許さないポリコレが蔓延しているからだ。一方の意見はよくて、その反対意見を抹殺するという学問の府から程遠いのが米国大学の現状だ。

マーク・レビン氏は保守系法学者で熱烈なトランプ支持者である。昨日彼の番組のインタビューに応じたカリフォルニア大学サンタクルーズ校のジョン・エリス教授が現在の米国の大学事情を披露してくれた。

「すでにアメリカの大学に言論の自由はない」
（50年にわたり大学の統計を出してきたカーネギー・コミッションのレポート）

大学の教授の比率は、
1969年には左派系教授3人に対して、右派系教授2人だったが、
1999年に　左5人　右1人
2005年に　左8人　右1人
2020年に　左13人　右1人
という激しい左傾化がキャンパスで起きている。

とくに助教授レベルでは、現在は左派系48人対右派系1人という驚くべき結果だ。保守派の学生やノンポリの中間学生でも、もしその意見をキャンパスで発すると、教授や他のBLMやアンティファを支持する学生から批判を浴び、仲間外れにあい、無視されるということが日常化している。

エリス教授は、本来中立で学問の自由を確保すべきキャンパスで、「新しいポリティカル・コレクトネス"New Political Correctness"」を旗印に、急激な左傾化が

起こり、言論の自由の侵害が起きているという深刻な問題を指摘した。

第4章

日本で報道されなかったアメリカの大統領選とメディアの偏向報道

日本で報道されているのとはまったく違うアメリカの姿がここにある

2020年、世界を襲った最大の災厄は、新型コロナだということに異論はないだろう。アメリカに限って言えば、第2章でも触れたが、大都市を襲った暴動、略奪も間違いなくそこに入ってくるだろう。そして、もう一つの米国を襲った最大の危機は、混迷を極めた米国大統領選だと考える。

この章では、主にこの大統領選挙がアメリカの中でどのように推移していったのか、また主要メディアはそれをどのように報道していたかを読者に紹介したい。日本で報道されているのとはまったく違うアメリカの姿が浮かぶことだろう。

2020年の大統領選とそれに関わる事件に対して、アメリカの主要メディアは何を「報道してきたのか」、そして何を「報道してこなかったのか」をたどることで、外に出てきた現象の背後にある姿が見えてくるのではないか。そのため、私がこの時期に発信したフェイスブック記事をいくつか掲載することで、実際にアメリカの大統領選で日米の主要メディアが報道してこなかったニュースの背後にどんな動きが起きていたかを知る参考になればと考える。

1. アメリカのメディアの信用低下とジャーナリストの左傾化

最初に、アメリカのメディアの信用度の低下と、急激な左傾化に関する統計を三つほど紹介したい。

①ギャラップ調査からメディアの政治的立ち位置の偏向度

（2018年10月のギャラップ調査）

民主党支持者は76%がメディアを信用しており、無党派層は42%信用し、共和党支持者は21%しかメディアを信用していない。

同じくギャラップ調査では、45%のアメリカ人は、「メディアの政治報道に対して大きな偏向があると考えている」と答え、1989年の25%からそのメディア不信の数値は大きく上昇している。

共和党支持者の67%は、メディアの政治報道が「大きく偏向している」と考えており、民主党支持者は26%が「大きく偏向している」と考えている。つまり、共和党支持者の多くはメディアの政治報道をほとんど信用していないところまで落ち込んでしまっている。


2013年にインディアナ大学が1080人に行ったジャーナリストへのインタビューでは、「50・2%は自分は中立」と返答し、「民主党寄り」との返答は28・1%、「共和党寄り」との返答は7・1%だった。しかし、1971年の同じ調査では、25・7%が「共和党寄り」、65%が「中立」と答えていた。

この30年の間に、ジャーナリストで中立と答えた人数は15ポイント下がり、共和党寄りジャーナリスト数は約19ポイントも下がっている。一気に左傾化が進んでいる。

（アリゾナ・ステート大学とテキサスA&M大学の調査）

2018年11月に462人の経済ジャーナリストに対して調査を行った（ジャーナリストの

70％はウォールストリート・ジャーナル、フィナンシャル・タイムズ、ブルームバーグ・ニュース、ＡＰ通信、フォーブス、ニューヨーク・タイムズ、ロイター通信、ワシントン・ポストの記者）。

自分を「非常にリベラル」と答えた記者が17・6％、「リベラル」は40・8％、「保守派」3・9％、「非常に保守」と答えた記者は0・046％だった。つまり現在、60％近くの経済ジャーナリストはリベラルで、保守派は5％以下だった。

（〝Unfreedom of the Press〟Mark R. Levinより引用）

②指標から見る米メディアの左傾化の現状

カリフォルニア大学ロスアンジェルス校（ＵＣＬＡ）の政治・経済学者のグロスクロス教授は、著書の〝Left Turn（左旋回）〟の中で、米国メディアとジャーナリストの左傾化の統計を以下のように示している。

グロスクロス教授は、個々の政治家のリベラル度と保守度を測る手法を編み出し、それを政治家を科学的に分析する「政治的立ち位置指標（ＰＱ指標：Political Quotients）」と名付けた。彼は、政治家の過去の投票行動を分析して、この指標を作成した。

（以下、同教授の著書、"Left Turn（左旋回）"からの引用）

1．平均的な米国人100人の民主党と共和党への投票割合は約50人：50人であるのに対し、米国人ワシントン駐在記者の投票割合は、民主党93人：共和党7人で、民主党支持者が際立って多い数字となっている。

2．メディアの左傾化への偏向度は平均して8－10ポイントほど米国有権者に対して影響を与えている。2008年のオバマ対マケインの大統領選挙で、オバマ53％対マケイン46％の得票率でオバマが勝利したが、このメディア偏向がなかったと仮定した場合、マケインはオバマに56％対42％で勝利していたことになる。

3．（補足）この中で、グロスクロス教授が示した政治家のＰＱ指標がきわめて興味深いのでご紹介したい。

以下は、グロスクロス教授がそれぞれ著名な民主党、共和党の過去と現在の政治家の政

Newt Gingrich (R-Ga., 1979–94) 11.4
Richard Nixon (R-Calif., 1947–52) 12.5
Lindsay Graham (R-S.C., 1995–2009) 14.9
John McCain (R-Ariz., 1983–2006, 2009) 15.8
Ron Paul (R-Tex., 1976–2009) 31.8

Joe Biden (D-Del., 1973–2008) 80.5
Hillary Clinton (D-N.Y., 2001–06) 87.6
Barack Obama (D-Ill., 2005–06) 87.7
Ted Kennedy (D-Mass., 1963–2007) 89.2
Robert Kennedy (D-N.Y., 1965–67) 96.5
Nancy Pelosi (D-Calif., 1987–2006) 100.7

（Groseclose PhD, Tim. "Left Turn" . St. Martin's Press Kindle Edition. より引用）

治的立ち位置（保守的あるいはリベラルの度合い）をこのＰＱ指標を使い示したものだ。数値が低いほど保守的つまり右派となり、数値が高いほどリベラル左派系ということが言える。

すでに過去の人になったリチャード・ニクソン元大統領は12・5できわめて保守だったと言える。

上院委員会の中で、最も影響力の大きい上院予算委員会委員長を務める現役の上院議員リンゼー・グラムは14・9で、これもニクソンと同じ程度の保守派となる。

対して、現時点で次期大統領候補のジョー・バイデンは80・5という圧倒的に高い左派指標を示している。これは、ヒラリー・クリントンの87・6、バラク・オバマの87・7にほぼ近く、民主党の中では中道と言われているジョー・バイデンは、この数値を見れば、彼の左派的立場はオバマやヒラリー・クリントンとそれほど差はないということがわかる。現在民主党で最も権力を持つ下院議長のナンシー・ペロシに至ってはその数値が100・7となっている。

③2020年の大統領選で、トランプ大統領はバイデン候補の150倍の否定的報道を受けた

最近の日本のマスコミの劣化もひどいものがあるが、私はこの三十数年アメリカのメディアを見てきて同じような感想を持っている。2020年の主要メディア（メインストリームメディア）の大統領選報道を追っているが、2016年よりさらにひどく、偏向ニュースとフェイクニュースが多いと感じていた。2020年夏、米国の老舗3大テレビ局のプライムタイムの看板番組がいかにひどく偏った報道をしていたかの分析が出てきたので紹介したい。

メディア・リサーチ・センター（MRC）は、3大テレビ局の看板報道番組の2020年6月1日から7月31日までの報道内容をチェックした。番組はCBS「イブニング・ニュース」、NBC「NBCナイトリーニュース」、ABC「ワールドニューストゥナイト」で、これらの番組に出演する記者、キャスター、無党派の情報提供者を含めた発言のリサーチである。

結論は、「夕方のこれらの番組の報道は、トランプについてバイデンに比較して150倍の否定的な報道を続けた」だった。同社のリサーチ・ディレクターのリッチ・ノイエス氏は「これはニュース報道ではない。ネガティブ広告キャンペーンに過ぎない」と語っている。

この三つの報道番組で、バイデンについては4件のネガティブ報道と、8件のポジティブ報道が行われた。

一方、トランプはネガティブ報道が634件、ポジティブ報道は34件だった。

ノイエス氏は「現代のメディアの歴史で何百万人もの視聴者が最も偏った大統領選の報

道を目撃している」と語る。
「この6月、7月は新型コロナの最悪の数字の最中であり、どの国の指導者もその国のメディアからの取材が多くなるのは当然ですが、アメリカにおけるこれほど偏った報道は、私の35年の米メディアの研究でも見たことはありません」

バイデンの報道数がこの6月と7月が異様に低いのは、彼がメディアを避け、姿を現さなかったことも大きい。認知症の疑いで民主党がバイデンのライブの記者によるインタビューを避けたという話が出ている。一方、トランプは、バイデンは地下室に潜んで質問を避けていると批判している。

(Fox News 2020年8月17日付記事参照)

https://www.foxnews.com/media/evening-newscasts-150-times-more-negative-trump?fbclid=IwAR0cs7BNVKYnAvfuxEQHqaSEPoHcmCoPJy1WT4r0EKavpXG1WOJ7lbsJB3o

2．2020年、最大の敗者は「メディア」

すでにご存知の方も多いと思うが、アメリカの大統領選というのは、全体の総得票数を競う投票方式ではない。各50州の人口数によって割り当てられた「選挙人」の数を争う選挙戦である。一つの州の各郡の中で行われる選挙があり、そこでどちらの候補が勝ったかを集計して、その州の勝敗を決める。その数が少しでも上回った候補者がその州のすべての「選挙人」数を獲得する「勝者総取り」と言われるシステムだ。

例えば、カリフォルニア州のように圧倒的に大きく人口も多い州の選挙人数は55人。ニューヨーク州は29人、巨大州のテキサス州は38人という選挙人数だ。全体で538人の選挙人の過半数である270人を確保した候補者が大統領に確定するわけである。

そのため、2016年のヒラリー・クリントン対ドナルド・トランプの大統領選のようにヒラリーが全体投票数では数百万票勝っていても、この選挙人数ではトランプが304人を確保し、ヒラリー・クリントンは227人の選挙人数で敗北した。

なぜ、全投票数の総数で大統領選出をしないのかとの意見はあるが、これはこのアメリカの成り立ちに関係があると言われる。アメリカは広い国だ。日本人がよく知っているのは、ニューヨークやロスアンジェルスなど大都市がほとんどだろう。しかし、そういった東西の沿岸部に集中する巨大都市は人口も圧倒的に多いが、内陸にある小さな州であるカンザス州、ネブラスカ州、ワイオミング州など面積は広くても人口が少ない州も多い。

もし、総投票数の多さだけで大統領を決めることになると、それら両沿岸部にある「大都会の声」しか反映されなくなる。そのため、内陸にある小さないくつもの州にもそれぞれの人口に応じて、少ないながらも「選挙人」を割り当てることになったわけである。つまり、大都会のある巨大州だけでなく、中規模州や小さな州の声も政治に反映させようという考えからこの制度は発案された。

とくに、中小の内陸州には農業州が多く、それらの州の声がまったく米国の政治に反映されなくなることはきわめてマイナスだと、この選挙システムを創った当時の政治家たちは考えていたのだ。

以上の理由で、日本でもよく報道される全米でバイデンが何ポイント上回った、トランプが何ポイント勝っているという数字はあまり意味がない。それよりも各州でどちらがどのくらいのポイントで差をつけているかが重要だ。

アメリカには、大まかだが、ほとんど岩盤で民主党が強いブルーステート（民主党の党カラーがブルー）と、共和党が強いレッドステートに色分けされている。つまり、それらのどちらかに色分けされた州がひっくり返ることはあまりない。

例えば、一番大きな55人の選挙人を持つカリフォルニア州は、歴史的に非常にリベラルなロスアンジェルスやサンフランシスコなどを持つ非常にはっきりとした民主党州だ。さらに、ニューヨーク州も東海岸を代表する民主党州（選挙人数29人）で、私の住む中西部の大都市シカゴを抱えるイリノイ州（選挙人数20人）も長く民主党系だ。

つまり、民主党はすでにこの3大巨大州だけで104人という圧倒的優位を持って、共和党に対抗できる。270人のうち104人は、すでに民主党が取っているのである。

反対に伝統的に共和党が強い地域は、テキサス州やアラバマ州などの南部や、内陸のカンサス州、ネブラスカ州、アーカンソー州、サウスダコタ州などである。しかし、テキサス州（38人）以外は選挙人が少ない州も多い。

ただ、選挙結果を分けるのは、そのどちらでもないスウィングステートと呼ばれる激戦州の結果だ。これらは歴史的に多少変化するのだが、2020年の大統領選では以下の州が激戦州となった。ペンシルベニア州、ジョージア州、ミシガン州、ウィスコンシン州、ミネソタ州、アリゾナ州などである。

簡単に言えば、大統領選の結果は、これらの激戦州がどちらに転ぶかで決定されることになる。そのため、両陣営とも、その選挙資金と人員をこれらの激戦州に集中させ、激しい選挙戦が行われてきた。

①「メディアで、「何が報道され」「何が報道されなかったか」

以下、「メディアが最大の敗者」と記した私のフェイスブック記事があるので、引用したい。


（2020年12月10日　シカゴ時間午後8時45分アップデート）

ジョー・バイデンの息子ハンター・バイデンの中国、ロシア、ウクライナを始めとする巨額の金銭授受のスキャンダルが大統領選挙の2週間前に報道された。

アメリカで第4位の読者数を持つNew York Post紙がすっぱ抜き記事として一面で報道した。その中には、ハンターが持ち込んだパソコンの中にあった1万数千のメール、写真、メッセージのやりとりが入っていて、多くの信憑性の高い情報が含まれていた。

そのNYP紙の報道に対して、大手主要メディアのNew York Times、Washington Post、NBC、ABC、CNN、MSNBCはすべて直後から、これは「ロシアのディスインフォメーション（虚偽情報）」だと一斉に口を合わせたように否定し、いっさいの報道を拒否した。

その理由は、「Baseless」「証拠はない」「ロシアの陰謀」だの大合唱だった。しかし、誰でも不審に思うのではないか？　調べもせずに、なんで証拠がないとわかるのか？　メディアは証拠がないと言うが、それを自分で調べたのか？　子供でもそう思うだろう。

また、Twitter や Facebook は、「ファクトチェック」をして事実ではないと称して、New York Post 紙のツイッター・アカウントを停止させ、この記事のリツイートを削除した。

さて、大統領選が終わって5週間経って、ハンター・バイデンが2018年からの巨額の脱税、マネーロンダリングの件で連邦捜査官から調査されていることが判明した。この中には中国から供与された金額の捜査も含まれている。

そして、このハンターの脱税に関しては、これら主要メディアのほぼすべてが報道することになった。

大統領選が終わったので、もう大丈夫ということなのだろうか？　大統領選の前は、ほぼすべてのバイデンへのネガティブ報道記事はブロックして、アメリカ国民には知らせないようにしてきた。

メディアの立ち位置を判定するのに、「何を報道しているか」「何を報道していないか」は最初の重要なポイントで、その次に「事実をどのように報道しているか」

というポイントとなり、その後「どのくらいの時間、誌面をさいて報道しているか」が次のポイントだ。

だいたいこの三つを注意深く見ていれば、そのメディアの価値はわかる。

この大統領選が終わって、大統領選の「敗者はトランプ大統領ではない」、敗者は「メディア」と「大手ソーシャル・メディア会社」だという見方が保守系メディアを中心に増えてきている。

②「ハンター・バイデンの外国企業からの金銭授受疑惑」の報道

2020年、春先から民主党予備選で次々とバイデン候補の対抗馬が撤退を表明していき、最終的にバイデン候補が民主党の大統領指名を勝ち取った。そのあたりから、息子のハンター・バイデンのウクライナや中国など外国からの金銭授受疑惑が次々に表面に出てきた。

これらはすでに2019年から一部ネット・メディアでは話題に上がっていたのであるが、ほとんどの米主要メディアでは取り上げられたことがなかった。

ただ、このハンター・バイデンのニュースは、バイデン候補が正式に民主党大統領候補に確定してからは、米大手主要メディアの中では唯一トランプ寄りの報道を続けていたフォックスニュースと、規模の小さな保守系メディアが頻繁に報道を続けていたのみだった。

これは、ハンター・バイデンがバイデン候補が副大統領の時に、ウクライナや中国を訪問した際に一緒に副大統領専用機に乗り、それらの国のエネルギー会社から自身のファンド会社へ数百万ドルの報酬を得ていたという報道である。

父親と一緒に中国を訪問し、中国首脳に会った後に、ハンター・バイデンが役員を務める米ファンド会社へ15億ドル（約1600億円）が中国銀行から振り込まれていた。

これらの事実はそれら金銭の流れがすでに判明しているし、ハンター・バイデンもこれらの金額がコンサルティング料やファンドの運用資金であるとインタビューで認めている。しかし、彼にはエネルギー業界の知識やウクライナや中国に関して何か特別な知見を持っているという経歴がまったくなく、これも本人が認めている。

ハンター・バイデンの父親がまったくの私人であれば別に問題はないわけだが、父親が当時の現職の米国副大統領であり、もしその地位を利用してこれら巨額の金銭が息子に渡っていたということになると、国家反逆罪にも匹敵する疑惑だ。

大統領選挙日の約1週間前になって、中国でハンター・バイデンが役員をしていた当時の同僚だったエネルギー会社の会長ボブリンスキー氏がテレビ出演して、利益の分け前を受け取ったのはハンターだけでなく、その10％を受け取った"big guy（大物）"は父親のジョー・バイデンであると公表した。

しかし、この件も今まで同様、大手主要メディアでは、まったく報道されなかった。ジョー・バイデンは「家族とはビジネスの話はいっさいしたことはない」と語った。

これはほんの一例に過ぎないが、米主要メディアは２０２０年を通して、バイデン候補に不利となるほとんどすべての報道をしてこなかった事実がある。

ほぼ１００％近くを占める大手主要メディアの一方的な親バイデン、親民主党報道は、米国民の中でもとくに共和党支持者に強烈な不信感を与えた。

２０２０年の大統領選で、バイデンに投票した人たちへの世論調査結果が大変興味深いので私のフェイスブック記事から紹介したい。


（2020年12月2日）

「バイデン投票者の投票行動からわかった情報弱者の事実」

大統領選後、バイデン投票者１７５０名へスウィング・ステーツ（激戦州）７州での統計。

	知らなかった	バイデン支持取りやめ
バイデンのセクハラ疑惑	35・4％	8・9％
ハンター・バイデンのスキャンダル	45・1％	9・4％
最左派上院議員ハリスについて	25・3％	4・1％
33・1％の経済成長公約	49・0％	5・6％
11・1百万人の雇用創出	39・4％	5・4％

中東和平の実現	43・5％	5・0％
米国エネルギー独立	50・5％	5・8％
ワクチンの高速開発	36・1％	5・3％
少なくとも一つは知らなかった人の合計	82％	17％

（11月9日-18日、アリゾナ、ジョージア、ミシガン、ネバダ、ノースカロライナ、ペンシルベニア、ウィスコンシン州で、1750人に対してMedia Research Centerが行った調査委統計）

この統計を見ると、バイデン投票者がいかに反トランプの「偏向主要メディアしかみていなかった」情報弱者であることがわかる。あるいは意図してネットを避けていたということも言えるだろう。

例えばハンター・バイデンの外国からの巨額な金の受領などの情報は、ネットや保守系メディアでは有り余るほど出回っていたにもかかわらず、45％も見ていなかった。道理でバイデンに投票した人も有権者の半分くらいはいたわけである。

③ 無視されたカリフォルニア議員の中国人女スパイとのスキャンダル

(2020年12月9日　シカゴ時間午後11時30分アップデート)

「中国女工作員のカリフォルニア議員へのアプローチ」

(ヴァージニア州に本拠を置くニュース・ウェブサイト)

現在、Fox Newsで大きな衝撃をアメリカで与えているニュースがある。Axios(ヴァージニア州に本拠を置くニュース・ウェブサイト)で詳しく報道され、Foxもそれを引用した以下のニュースだ。

Axiosは、カリフォルニア州下院議員エリック・スワウェルが中共の女工作員と出会い、選挙活動援助を受け、その女スパイとの不適切な関係を指摘している。すでに同議員は連邦捜査員の聴取を受けている。

Axios によると、この中共の女工作員ファン・ファンは、カリフォルニアで大学時代に中共の工作員としてリクルートされ、中西部の2人の市長をはじめ、とくにカリフォルニアでの数名の州議員の選挙活動へのボランティアとして入り、さまざまな工作活動を行ってきたことがわかってきた。

その後選挙資金集めのパーティーなどで議員たちのネットワークへ入り込み、それら議員たちと性的な関係をもち、彼らの持つ情報を取っていったことがＦＢＩの調査で判明した。

このファン・ファンは２０１５年、自らの元に捜査の手が伸びてきたことを知ったのか、中国へ帰国している。

中共政府は、古くから米国の州、市の議員たち地方の議員たちへアプローチしてきた。なぜかと言うと、これらの議員たちの中から将来の市長や州知事、連邦上院、下院議員の候補になる政治家が多いからだ。つまり彼らは、長期間かけて中共の影響力を将来持つために種まきをしてきている。

このへんの事情は日本も同じではないか？

④アメリカ人の半数が「何か大統領選でおかしなことが起きている」と感じている

（２０２０年11月27日　シカゴ時間午後5時20分アップデート）

「アメリカ人の半数が、何か大統領選でおかしなことが起きていると感じている」

この大統領選後に私が感じていることを少しシェアしてみたいと思います。

11月3日の大統領選が終わった。

3日の夜までは激戦州でトランプ大統領が大幅リードしていたが、夜中に郵便投票の開票が始まってその投票が入ってきて、それぞれの激戦州で逆転が起きた。それも夜中の3時半や4時くらいに突然数十万票というバイデン票が入ってきて、集計をフォローするコンピュータ上にも不自然なジャンプがいくつもみられた。

その後、郵便投票数は7000万票近いということがわかってきた。現在で、トランプ7400万vsバイデン8000万（米国は直接選挙でないので総得票数でなく、激戦州の勝敗で大統領は決まる）だ。つまり総投票数の約半分が郵便投票なのである。

すでにアメリカの選挙事情を知っている方には当たり前だが、郵便投票は数多くの不正投票が簡単に仕組める投票方法で、過去数多くの不正投票が起きてきた事実がある。

不在者投票のように、本人が不在のためリクエストする人に送られるわけでなく、それぞれの地域の選挙管理委員会が名簿を元にほぼリクエストなしに大量に送られる。そのため、数千、数万、数十万単位で「死亡者投票」「住所変更者による複数回投票」「二回投票」「不法移民の偽免許証による投票」などが起きていることがわかっている。

選挙後、通常敗者が「敗北宣言」を発表してから行う「勝者宣言」を行うのが米国の慣習だ。しかし、今回メディアは各州の公式選挙結果がまだ出ていない段階で「当確」を発表し、その後バイデン陣営は勝利宣言を出した。

トランプ大統領は、すでにいくつもの州から出てきていた不正投票や不正カウントの疑義を受けて、これは「選挙が大量の郵便投票によって盗まれた」と発表した。その後、バイデン陣営は、一気に「既成事実化」を進めていて、来年からの組閣予定者の名前などをメディアに発表させている。そして日本のメディアは、バイデンはすでに公式な次期大統領だとの米主要メディアのコピー専念の報道に終始している。

現在、アメリカ人の半分は「この選挙は何かおかしいことが起きた」と考えている。そして、「もしこれら現在出てきている不正投票、不正カウント、不正マシーンによるトランプ票からバイデン票への変換などが起きたのであれば、歴史始まっての大スキャンダルだと考えている」という人が75％〜80％いる。これは、民主党、共和党問わずの数字である。（スタンフォード大学 Hoover Institution シニア・フェロー、ヴィクター・デイビス・ハンソン教授の11月27日、Fox News "Lou Dobbs Tonight" より引用）

つまり、九十数％の親バイデン、反トランプの主要メディアは、不正投票や不正マシーンなどについてはまったく取り上げない。しかし、トランプ陣営が各州で行っている訴訟に関しては無視できないため、これらを報道はする。が、たくさんの訴訟がありそれらのいくつもは敗訴ではないが、激戦州で「民主党系裁判官」によって事案として取り上げることを却下されることが続いているのを、ことさら取り上げる。そしてトランプはもう負けたのになぜ敗北宣言を出さないのか、往生際が悪い、不正の証拠はない、また「たとえ少しの不正があっても大勢に影響はない」との報道に終始している。

しかし、先ほどのアメリカ人の半数の人々は、これら主要メディアが報道することは、一言で言えば「どうでもいい」と考えているのだ。共和党支持者の七十数%は不正投票があったと考えているし、主要メディアを信用していない。

一番大事なのは、「不正選挙があったのか」、そしてそうであれば、「どのように不正選挙が起きたのか」なのだ。これは、なぜなら民主主義の根幹に関わる問題だということをアメリカ国民は知っているからだ。

不正選挙の「証拠」と宣誓供述書に署名した「証人」がこれほど出てきている中で、主要メディアはその事実もろくに報道をせず、バイデンの次期閣僚名簿を取り上げることに忙しい。

もう一度言うが、トランプ大統領と同じく多くの共和党支持者はもしこの選挙が公正な選挙で行われ、その結果トランプ大統領が負けたのであれば、それを受け入れると考えている。

しかし、それをウヤムヤにして、いかにも何もなかったかのようにメディアを使って既成事実化を進めていることに、トランプ大統領に投票した7400万人だけでなく、心ある民主党員も大きな反発を持っている。バイデン民主党が今後その動きを強引に進めることは、ＢＬＭやアンティファの連中どころではない本物のアメリカ人の怒りを知ることになるだろう。

2021年現在、民主党とメディアは不正選挙、不正投票はなかったと言っている。共和党とトランプ陣営は3000人に上る宣誓供述人の多くの人たちが不正疑惑州で行われた公聴会で自分たちが見た不正を告発しているが、裁判所で取り上げられ審議することを裁判所が拒否したためにその真偽はまだ判明していない。民主党とメディアはこの「裁判所で審議することが拒否された」ということを持って、「不正選挙はなかった」と言っている。それに対して米国民の半数は「何か不正が行われた」と考えている。

それらいくつもの不正選挙が疑惑州6州で行われた公聴会で発表された数字も数多くあるが、ここでは初めて上院議会で行われた公聴会で発表された内容を私がフェイスブックで書いているので紹介する。

（2020年12月16日）

たった今、ライブで行われている上院議会での宣誓証言を行った上での証人喚問が行われていて、これはきわめて重要である。

この「2020年選挙不正に関する公聴会」には、共和党、民主党の上院議員が数名の証人に対して質問を行う公聴会だ。

今まで、各州で個別に共和党議員団による宣誓証言をした証人による公聴会が、トランプ弁護団ジュリアーニ氏の主導の下で行われてきたが、今回は上院の国家安全委員会という米国の最高機関による公聴会で重さが全く違う。

先に民主党側の結論を言えば、『選挙に不正はなかったし、証拠もない。それらを言っているのは共和党と陰謀論を信じている輩だ。だから、"Move on" つまりこのまま「問題はないから進め」』の姿勢だ。

そして、民主党上院議員の一人は、「すでに結果が確定している大統領選でこのような公聴会を開くのは危険だ。人心を惑わす」と話したところ、共和党のジョンソン上院国家安全委員会議長は、「あなたは2016年の選挙のトランプ大統領のロシア疑惑の時から全く証拠がない疑惑のウソを私についてきた。いい加減にウソをつくのを止めろ」と嘘つきの言葉を数回発して一時公聴会は騒然とした。いよいよ本格的な舌戦が始まっている。

ジョンソン委員長は、この疑惑の調査をこの委員会では進めてきたが、過去民主党議員によってボイコットされてきたと語った。そして以下三つの点を挙げた。

1　不正選挙を防ぐに十分な法律の欠如
2　不正投票を防ぐ十分な手段の欠如
3　投票結果を引っくり返すことのできるマシーン、ソフトウェア

これらは非常にシリアスな問題で、アメリカ国民にその疑問に応える義務をこの委員会は負っていると語った。

ウィスコンシン、ペンシルベニアからの証人が続き、ネバダ州の弁護士が出て証言した。

このジェシー・ベナール氏はトランプ陣営の弁護士だ。

ベナールは……

「一人一票が民主主義の基本だ。それが以下のような事実が上がっている」

ネバダ州では、

＊４２０００人の同じ住所の同じ名前の人が１回以上投票した。

＊１５０００人の死亡者が投票した。（ソーシャルセキュリティ番号によって確認できている）

＊１９０００人のネバダ州には住んでいない人が投票した。（軍人と学生は含まれない）

＊１５００人の個人住所でなく、商業用住所もしくは空き家からの投票があった

＊８０００人の存在しない住所から投票されていた

＊４０００人の米国籍以外の人が投票していた

＊その他の不正を入れると、合計１３００００人の不法投票が行われたといえる。

そして、これらの数字はほぼすべて公表されている州の数字で確認できる。

さらに、投票マシーンに差し込まれていたＵＢＳメモリは一晩の間に幾度かなくなり、また現れた。

また、宝くじやフラットＴＶなどが民主党バイデンに投票した先住民族の人たちにギフトとして渡されていた。

これらの事実を見れば、このネバダ州での選挙結果はキャンセルされるべきだ。

ジェシー・ベナール弁護士は、「ネバダ州ではドミニオンのマシンへの調査したいと要請したがネバダ全体で1台をのぞいてすべて拒否された。また、紙の投票用紙を、署名の一致や、合法投票か不法投票かの確認をするため開示を求めたがすべて拒否された」と語った。

先ほどからネバダ州選出民主党上院議員などがベナール弁護士の主張には、「すべて証拠はないし、ネバダ州裁判所でそれらが拒否されたので信憑性はない」と主張したことに対して返答した。

『民主党サイドは「透明性」をいつも主張しているが、この選挙プロセスに対して不正があるかの疑義に対して、ネバダ州を始め州政府、選挙管理委員会は、「ことごとくそれらの要請を拒否している』

先日、トランプ大統領によって解任されたクリス・クレッブス前サイバー・セキュリティー長官も宣誓証人として共和党と民主党から質問を受けた。彼が解任前に発言した、「この選挙に対して不正はなかった」という発言を今でも維持しているかとの質問にその通りだと回答した。

⑤ 不法投票に関する私見
（2020年11月6日）

「合法投票〝Legal votes〟」と「不法投票〝Illegal votes〟」とは？

トランプ大統領は、「合法投票」での闘いであれば自分は負けることはない。しかし、「不法投票」であればそれは選挙を盗む行為であると語った。スピーチでも「合法投票」をカウントして、「不法投票」をカウントしてはならないと極めて当たり前のことを言っている。しかし、多くの州でその「不法投票」が合法投票としてカウントされているようだ。

そして、今現在ジョージア州やペンシルベニア州で、大規模な不正選挙の「証拠」は上がっていないとメディアは流し始めた。しかしそうだろうか？　今までの大手メディアの言ってきた過去を見ればそれを簡単に信じるアメリカ人は少ないだろう。

この「合法投票」と「不法投票」という言葉も日本語で単純には分からないのではないだろうか。

いくつかトランプ陣営が指摘している、すでに実際彼らが把握している「不法投票」疑惑とは以下である。

①すでに死亡している人に郵便投票用紙が届き、その投票用紙で投票されている
②すでにその住所から転出している人へ用紙が届き、その投票用紙で投票されている
③登録有権者の数や住民数より多い数の投票用紙がその地域の選挙委員会に届いている。

それ以外にも、
①早朝4時ごろに、ペンシルベニア州で23,000枚バイデンへの投票用紙（一枚もトランプへの投票がない）が、突然どこからか発見され、それがカウントされた。
②すでに記載された投票用紙の廃棄がされて、それが発見されている。
③ペンシルベニア州のように、投票日11月3日を三日過ぎまで投票をカウントするという新しい州法を直前でつくった。
④消印があってもなくてもそれを有効投票としてカウントする

などがあるが、上記以外にも数多くの疑惑の行動がほぼすべて「民主党州知事と市長」の街で起きている。

しかし、この「不法投票」がどのくらい存在するかということについて、私の出版予定の新刊書で短く触れているのでご紹介したい。

私がこの中で指摘している不法投票疑惑は、現在、共和党でも疑義を発表していないが、私はある時点で噴出してくる可能性があるのではないかと考えている。

この本の内容を書いたのは、2020年夏の時点であるので、現在の状況が起こる前であるということを付け加えておく。

（私の2021年の新刊書の中の「移民の現実」の章から抜粋）

2020年の大統領選でトランプ大統領は、郵便投票に強硬に反対しているわけだが、これは日本にいる人にとっては理解できない「現実」だろう。

この米国の郵便投票には2種類あって、一つは「不在者投票（absentee ballot）」というアメリカでも長く歴史があり、直接本人が身元確認の証明書を提出し、米国市民であることと有権者であることを証明した後、郵便で投票する「不在者投票」である。トランプ大統領はこれに関しては不正が難しく問題ないと発言している。

しかし、もう一方のこれも長く米国では行われてきた「郵便投票（Mailing vote）」は、過去いくつもの州でさまざまな不正が行われてきた例がある。これは本人からの要請がなくても台帳を基に一方的に送られることがほとんどだ。

（以下は、この本の第３章で触れた不正滞在の外国人による投票の部分を引用）

例えば、その地方政府が投票用紙を住民台帳を基に発送するわけだが、その台帳そのものが十分に管理されておらず、すでに死亡している人に送られていくなどということがよく起こる。

また私の友人の知り合いに不法入国メキシコ人がいたのだが、彼は二つの偽造の運転免許証を持っていて、役所でもどこでもそれを持って行って用を足しているのだが、なんとその二つの免許証に二つの投票用紙が送られてきたという。しかし、このようなことは枚挙にいとまがない。

たくさんのメキシコからの合法移民もいるのは事実であるが、その後ろに2千万人とも言われる不法移民、オーバーステイの人々がすでにアメリカには住んでいる。その場合でも、彼らはほとんど自動車免許証を持っている。なぜ不法移民が持てるのか不思議だと思うだろうが、すべて偽造免許証である。（第３章からの引用終わり）

そして、私の抱いている今回の選挙でも行われている可能性がある疑惑として、「複数回投票」である。これは、まず一度投票所に行って投票する。そして後に「郵便投票」でも投票する。その反対でもいい。この場合、住民台帳やシステムがしっかり管理されていればそのようなことはすぐ発覚する。しかし、この国の住民台帳や役所の驚くべきズサンさと非効率ぶりを知っている人には不思議でもなんでもない。

アメリカの選挙事情に詳しい人は誰でも知っているが、"Vote early, Vote often"（早く投票し、何度でも投票しろ）という諺がある。「一人一票」は、民主主義選挙の基本であるが、すでにアメリカでは1800年代から使われてきた「不正選挙」を暗喩する言葉だ。もし選挙日当日の投票だけだと、不正は限りなく難しくなる。（これをトランプ大統領は強力に薦めた）郵便投票になると、不正できる確率が限りなく上がってくるのである。（これをバイデン民主党は強力に薦めた）

先に述べたように死亡者、非居住者、または送られてきた投票用紙をあるグループ（会社、組合、政党組織等）が集めて、それに自分たちが支援する候補者の名前を書かせて一度に投票させるということが簡単にできるのである。これらの事情をよく知っていたトランプ大統領は、最初から郵便投票に大きな懸念を示してきたわけである。

私には、１９７０年代からシカゴ民主党の選挙運動に関わってきた親戚や友人がいる。彼らはどのように当時の民主党が選挙活動をしてきたかをよく知っている人たちだ。シカゴはニューヨークなど他の大都市と同じで、民主党岩盤の街である。しかし、その選挙活動は１９００年代中頃から「マシーン」という強力な民主党選挙を支援する部隊があらゆる「○○選挙活動」を行ってきたことで知られる。

私は、このメキシコを中心とする多くの不法移民の人たちは、「不法投票」を行った疑いがあると考えている。トランプ大統領の政策の中心ともいえるものに、メキシコ国境の壁強化があり、不法移民をなくすことがある。それと対照的に、バイデン民主党は国境を開き、不法移民を容認する政策を示してきた。民主党左派に至っては、国境を取り除き、移民を受け入れ、彼らの健康保険、医療費も負担するべきだという主張をしてきた。不法移民がどちらを応援したいかは子供に聞かなくてもわかるだろう。

現在、ＩＤ（運転免許証）やソーシャル・セキュリテー・カード（ＳＳＣ）をチェックするから、不正はないとの選挙管理委員会の発言があるが、これら不法移民はすべて偽だが運転免許証とＳＳＣを持っているし、それは一見全く本物と違いがわからない。

また、今年はコロナ禍が起きた超例外の年である。そこに大統領選が重なった。民主党バイデン陣営は、このコロナを理由にして、支援者に大量の郵便投票を進めてきた事実がある。それがスウィング・ステーツの最後の数パーセントの大半の票となり、投票日直後からトランプ大統領がリードしてきたその数字の多くが逆転するという異常とも言える現象が起きた。まさにトランプ大統領が懸念していたことが起こっている。

ちなみに最後の僅差を争っているアリゾナ州、ネバダ州、ジョージア州もこれらメキシコや中南米からの移民が非常に多くいる州である。

3．1980年代のアメリカの報道の中心はベトナム戦争従軍記者たち

以下は、私が9月9日に書いたフェイスブック記事の抜粋である。

> 私は1980年代シカゴのイリノイ大学でジャーナリズムを専攻し、その後ずっとアメリカのメディアを個人的興味を持ってウォッチングしてきた。その当時、夕方のプライムタイム（ゴールデンタイム）のニュース番組のレベルはきわめて高く、戦後のジャーナリストやキャスターの中でも信頼度の高かったCBSのダン・ラザー、

NBCのトム・ブロコウ、ABCのピーター・ジェニングスをはじめとする素晴らしいジャーナリストたちが、毎晩その時々のニュースを報道していた。

彼らはいずれも1960年代のベトナム戦争に従軍してきた歴戦の「従軍取材記者」であるという共通のバックグラウンドがある。80年代当時はまだベトナム戦争の現場を取材して現場からの戦争報道の困難さを理解していた報道記者がブロードキャスター（ニュースキャスター）を務めていた。

また、彼らの報道姿勢は、現実に起きている事実をそのまま客観的に報道するというメディアの中立性を確保していたと思う。現在、米国を代表する老舗3大ネットワークの報道番組には、80年代にはまだあった「中立性」や「客観性」という言葉はすでにない。

4. 全米トップから3位まですべて保守系フォックスニュースのニュース番組が占める現実

「米国ナンバーワンのトークショーホストの新刊本がアマゾンベストセラー第1位」（2020年9月9日）

現在のアメリカでナンバー1の視聴率を誇るテレビ番組「ホスト・ショーン・ハニティ」の新刊本が8月4日、発売直後から一気にアマゾンベストセラー第1位にランクインした。その本のタイトルは"Live Free or Die（生存の自由それとも死か）"。私は即日購入した。発売前からのトランプ大統領の好意的コメントも大きかったのだろう、一気にアマゾン1位となった。

さっと一読しただけだが、テレビ人だけあってさすがに論点が明快でわかりやすい。内容は、現在の民主党が極端な左翼、社会主義勢力によって乗っ取られていることや、社会主義の危険な台頭を指摘している。

また、興味深いのはディープステート（DS）に2章費やしていることだろう。私が一番興味を持った部分は、第7章の“Enemy of People: The Hate-Trump Media Mob（人々の敵：トランプを憎むメディア暴徒）”である。オバマとリベラル・メディアとの蜜月から始まり、なぜリベラル・メディアがこれほどトランプを敵視し攻撃するかの詳細が書かれている。

2016年のギャラップ調査では、「共和党支持者はメディアを16％しか信頼していない」という結果を紹介。メディアが「トランプと保守主義者はバカで狂信者である」という報道姿勢を続けたことが理由だと分析している。2016年の大統領選報道で完全に予想が外れた日本メディアでも、同じような論調が大半だったことを思い出す。

ちなみに、日本でもFox Newsの評判は聞こえ始めているようだが、調査会社ニールセンの2020年のネットワーク別、また番組別の視聴者数があるので紹介したい。

Fox Newsは、2020年5月のプライムタイム視聴率は圧倒的な1位で、平均視聴者数は344万人、2位はMSNBC（CNNに負けず反トランプ路線）190万人、3位はCNN（反トランプご本家）で165万人。

今年5月、全米ケーブルニュース中で最も視聴された五つの番組は、第1位はハニティで423万人の視聴者、2位はタッカー・カールソン・トゥナイト（419万視聴者）、3位はファイブ（373万視聴者）、4位はイングラハム・アングル（348万視聴者）、5位はブレット・ベイアー（308万視聴者）と、第1位から5位まですべてFox Newsで独占した。すべて親トランプの報道番組である。

これが今の多くのアメリカ人たちがどの局を視聴してどんな番組、どんなトークショーホストをフォローしているかの現実である。日本だとあまり伝わってこない現実ではないだろうか？

https://www.forbes.com/sites/markjoyella/2020/06/02/fox-news-dominates-may-ratings-but-cnn-prime-time-jumps-177/

5. トランプ大統領への日本メディアの偏向報道

２０１６年を振り返ってみると、共和党の大統領候補を決める予備選で、ドナルド・トランプ候補は、政治家経験がまったくない人間ではあったが、最初から他の候補を圧倒する知名度を誇っていた。

ところで、私がいつどのようにトランプを知ったかの経験を述べると、私が１９８６年から在住していたニューヨークで、彼はすでに有名な存在であった。ある意味でセレブと言ってもいいだろう。不動産王としてニューヨーク市のさまざまなプロジェクトで大きな業績を上げ（他の不動産開発業者が尻込みするような難しい市のプロジェクトに挑戦して成功に導いた実績が結構ある）、また、マーラ・メイプルズという美人モデルと浮名を流し、結局夫人とは離婚に至る。

ニューヨークのタブロイド紙ニューヨーク・ポストでは、それこそ毎日一面を飾る有名人であった。当時、ウォール街で仕事をしていた私には遠い存在で、冷やかし半分で見ていたことは間違いない。
その後、彼はアトランティックシティ（ニューヨーク近郊）のカジノホテルへの投資などで巨額の負債を負い、倒産した。トランプ自身は過去都合6回の倒産を経験しているが、アメリカの商法では日本と違い、倒産してもその後再起できる仕組みがある。

その後、トランプが再び表舞台に立ったのは、ケーブルテレビで「アプレンティス」という番組の司会兼最高責任者という立場で登場した時だ。番組の参加者がさまざまなプロジェクトに挑戦し、それをどのように目標達成に導くか――を彼が視聴者の前で最終判定するという番組で、「You're Fired!」はトランプの決め台詞だった。
リアリティショーと言われる番組で、似たようなものがずいぶんとあったが、その中でもこの番組は一躍全米で高視聴率を取るヒットとなった。確かこの番組の人気はかなり長く続き、この番組によって彼の知名度と人気は全米規模の不動のものとなったと言ってい い。

トランプを語る時、アメリカでは当たり前であるが、日本でもトランプを「嫌いだ」という人が多いのにはいつも驚く。つまり「好きか」「嫌いか」で判断しているわけである。

しかし、これは日本の大手メディアのトランプに対する報道姿勢に、大きな問題があるとわかった。日本の大手メディアは2016年の大統領選で、米大手メディアの大半と同様、結果予想を外した。

当時の日本の大統領選報道では、NHKも民放も、トランプの写真は、いつも目と歯をむき出して顔をゆがめた写真だった。何かに吠えている、ならず者といった風情である。まさか、こんな政治家経験もない、軍隊の経験もない、ただの不動産屋上がりの男をアメリカ人が大統領に選ぶわけがない、間違いなくヒラリー・クリントンが勝利するという報道一色であった。

私が当時帰国して地元の経営者たちに「いや、日本で報道されているのとアメリカの事情はかなり違いますよ」という話をしても、真に受ける人はほとんどいなかった。あのような報道をいつも見せられていたら、当然だろう。

日本の大手メディアはニューヨーク、ワシントンDC、ロスアンジェルスに駐在して大統領選をカバーしている。そのためブルーステート以外の、アメリカの多くを占める内陸部州、南部、西部などの声は届いていなかったのだろう。

ＮＨＫや民放の番組に登場する米国政治の専門家と称する大学教授や元外務省のコメンテイターなどは、ほとんどがトランプを見下し、罵倒していたのを覚えている。ＣＮＮあたりの見解をそのまま言っているんだなという感じであった。

私が住んでいるシカゴは、アメリカの中西部に位置している。シカゴは中西部では一番大きな都市で、昔から産業の中心地。歴史的に民主党が磐石なブルーステートである。アメリカの大都市に民主党の首長が多いのは、第2章で述べた通りだ。大都市には、仕事を求めて、白人、黒人のブルーカラー、スパニッシュ系ワーキングクラスなどマイノリティが多く集まってくる。彼らは民主党のコアな支持基盤である。したがって、シカゴ市でブルーカラーや有色人種の人たちの意見を聞くと、圧倒的に反トランプ、親バイデンとなる。

ただ、私が住んでいるシカゴ市郊外になると白人の比率が上がり、私の友人たちには、地元の商工会議所に属する中小企業経営者も多く、その人たちは、だいたい80対20の感じでトランプ支持である。つまりアメリカのどこに住んでいて、どのような仕事をしていて、どのようなアメリカ人たちと付き合っているかで、意見はまったく変わってしまうということである。

6. オバマ大統領と背後にいたディープステート

オバマ大統領と2008年の大統領選挙を少し振り返ってみると、なぜ2016年には泡沫候補扱いであったトランプが勝利したかが見えてくるだろう。2008年にオバマが当選した時、仲のいいシカゴの商工会議所メンバーでこのように言った経営者がいた。「オバマは、もしかしたら史上最悪の大統領になるかもしれない」。しかし、私の知り合いで共和党支持の白人ビジネスマンや経営者たちも、かなり多くがオバマに投票したのだ。

後ほど投票結果を分析した結果、オバマは黒人票の95%を獲得しただけではなく、白人票こそ共和党マケイン候補に10ポイントほど離されたが、ヒスパニック系では倍以上、年収5万ドル（約550万円）以下では倍近い差をつけ、それ以上の年収の有権者でもほぼ半分を取っていた。つまり、白人のミドルクラス、低・高所得者層からも幅広く支持を集めての地滑り的（ランドスライド）勝利だった。「何かアメリカを変えてくれるのでは」という大きな期待があって白人、黒人、低所得者層から高所得者層までがオバマを支持したということだろう。

オバマはよく米国初の黒人大統領と言われるが、これは正確な言い方ではない。正確には彼はアメリカ初の〝Biracial〟（二つの違う人種の両親を持つ）大統領である。「黒人大統領」も正しくないし、「白人大統領」も正しくない。

ただ、米国ではとくに黒人、マイノリティ層を中心に「初めて黒人から大統領が出た」というレトリックを好む傾向がある。メインストリームメディアもこのギミックに乗っている。

彼の白人と黒人のハーフというバックグラウンドとは関係なく、その素晴らしいスピーチ能力は、イェール大やハーバード大学を出たアメリカの白人エリート連中が「オバマは俺たちと同じ英語、いや俺たちより上等な英語を喋るじゃないか」とロッカールーム会話（外部には出せない話）で話していたことを思い出す。バラク・オバマは間違いなく超エリートである。

彼はイリノイ州上院議員を1期務めただけで、民主党の予備選挙に出馬。他の候補を破って共和党のマケイン候補との大統領選を闘ったのだが、これは民主党を後ろからコントロールしている集団がいて、彼らが最初から後押しして当選させたのは間違いない。

キングメーカーとも言うが、ずっと長い間、背後にいて資金を提供しながらその時の大統領選の方向性も後ろでコントロールしている連中だ。資金もろくになくそれまでシカゴのコミュニティ・オーガナイザーとして活動し、上院議員を1期務めただけの人間が簡単に当選できるほどアメリカの政界は甘くない。

今でも覚えているのは、彼の選挙参謀で資金集め担当だったラーム・エマニュエルというイリノイ州選出の民主党議員が、大統領当選の功労者として、閣僚より重要といわれる大統領首席補佐官（Chief of Staff）のポジションに就いたことだ。閣僚が大統領に会いたいという時に、そのスケジュールを決める権限を首席補佐官は持っている。

しかし、エマニュエルは1年も経たないうちにその座を去ることになった。その後、オバマが連れてきて入閣させた政治家たちが、一人また一人と彼から離れていった、というより大統領の背後にいて大統領を誕生させた連中によって外されていったというのが正しいだろう。

これらの勢力は、日本でも知られている言葉で言うと、ディープステート、国際金融資本、軍産複合体などだ。私はいわゆる「陰謀論」に興味はないが、間違いなくこのような巨大な、表には顔を出さない勢力は存在する。トランプ大統領がよく使う言葉に「グローバリスト」があるが、この勢力と言っていい。

先ほど紹介した米国ナンバー1のトークショーホスト、ショーン・ハニティは、このディープステートという言葉を常に番組の中で使っていて、彼のベストセラーとなった本でもこのディープステートに2章を費やしている。

日本のメディアでも最近、大手新聞としては初めて読売新聞がこのディープステートを報道したようだ。どうもいつも日本のメディアは1、2周遅れの感はするが。どのような呼び方をしてもいいが、このような巨大な組織は陰謀論ではなく、間違いなく長い間存在して、ウォール街、メディア、ワシントンの政治家をはじめとするポリシーメーカー（政策立案者）たちを操ってきた。

オバマ政権の閣僚のほとんどが1年ぐらいで外に出されてしまい、彼の言うことを聞く閣僚はいなくなってしまったのである。その後、日本でもそのへんの事情がわかってきて、なぜ、オバマは中国やヨーロッパ外交などで、ほとんど実績がなかったのかという議論が起きたのだが、当然である。結局オバマは、彼の背後にいる人形遣いによって、操られた人形（puppet）に過ぎなかったわけだから。

トランプは就任前から現在までも、なぜこれだけマスコミから叩かれるのか。過去の、どのような大統領と比較しても異常なレベルである。これは基本的に、トランプがディープステートの資金に頼らずに大統領に就任した、最初の大統領であるからだ。彼は政治家ではなくニューヨークのビジネスマンであり、ワシントンの泥水に浸かっていなかった。また個人的に資産家であり、選挙戦前半は自分の資金だけで闘ってきた。

ヒラリーとの決戦の時こそは、共和党支持のいろいろな資金が入ってきたが、ヒラリーに巨額の献金をし、ヒラリーを推していたウォール街のゴールドマンサックスを筆頭とするグローバリスト陣営の豊富な選挙資金とは比較にならない。トランプという人は基本的に、ウォール街金融屋、ワシントンの利権にまみれた政治家たち（バイデンに代表される）と２０１６年に闘って勝利し、その後も、この資金では、はるかに上回る世界的グローバリストと激しい闘いを続けている人だということである。

ところでオバマ元大統領の後に、なぜバイデンが民主党大統領候補に選ばれたのかについて、私なりの考察を２０２０年11月のフェイスブックに書いているので紹介したい。

（2020年11月14日）

「なぜバイデンが民主党大統領候補に選ばれたのか？」

バイデンは、最年少で上院議員になり、政治歴はワシントンを含めて47年を超える間違いなく超ベテランだ。政治家として、ワシントンの泥水にたっぷり浸かってきたが、その間うまく遊泳してきたとも言える。いわゆる調整に長けた政治家で、政策や見解は風見鶏のように変わってきた。しかし、それは政界で長く生き残って

いく処世術に長けていた故とも言えるだろう。

民主党予備選で他の候補の多くは、社会主義者のバーニー・サンダースやエリザベス・ウォーレンといった急進左派が多かった。長く民主党中道でキャリアのあった候補者はバイデンしかいなかったという消去法が働いて、民主党代表を射止めたとも言える。

その中で、あまりに早いサンダースの脱落の背景には、当時の私のFB記事でも予測したのだが、バイデン当選後のサンダース閣僚入りの密約があっただろう。それ以外にも、ウォーレンやブタジェックの早々の撤退後、即バイデンの支援に回ったことも奇妙なほど早かった。予備選中もずっと他の候補者たちに条件を出して予備選撤退を交渉していたことは間違いない。

つまり、業師、策士という側面もあろう。現在、サンダースの労働長官、ウォーレンの財務長官、ブタジェックの閣僚編成チーム入りの話が出ていることを見れば、すでにこの春先から民主党内ではこれらの密約が決められていたと見るべきだろう。

しかし、民主党の中でもバイデンはトランプに勝てるほど強い候補だと考えられてはいなかった。選挙前もその後も、統計で彼を積極的に大統領職に適するから支持するという支持者は60％もいない。逆にトランプ支持者はほとんどがトランプ自身の政策や魅力を感じ投票する有権者だ。

現時点で、まだ大統領選の去就は決定していないし、私はまだトランプ大統領の再選はあり得ると考えている。しかし、もしバイデンが大統領に就任したと仮定するとどんな大統領になるかということも考える必要はあるだろう。

結論から言うと、彼はオバマのような操り人形大統領になる。オバマは民主党を操る巨額の資金を提供してきた連中の「操り人形（puppet）」であった。バイデンも同じくそれらの組織から巨額の資金を得てここまできた人間だ。もし大統領になったとしても、「オバマ2」の操り人形大統領になる。オバマは格好よく、素晴らしいスピーチ能力を持ち、メディアにも大衆にも大人気だった。しかし私見では、オバマ時代の外交、内政はともに目を覆う惨状であったと考えている。

前述したようにディープステートやグローバリスト勢力は、連邦議会のロビイスト、連邦政府の上級職員、CIA、FBIをはじめとする米国諜報機関の上層部に深く入り込み、長い間ウォール街、メディア、ワシントンの政治家をはじめとするポリシーメーカーたちを操ってきた。そして、これらの勢力が一番利用しやすい候補として選んだのが、オバマの後釜にちょうどよかったバイデンなのである。

これが、バイデンが人形遣いに操られる「操り人形」であり、2021年大統領に就任しても、「オバマ2」でしかないと私が考える所以である。

7．寡占化が進む米国メディアの業界図

30年前、アメリカのテレビ媒体は50社で90%を所有していた。しかし現在、テレビ媒体の90%は6社によって支配されている。以下が、それら6社だ。

Comcast: NBC, Universal Pictures
Disney: ABC, ESPN

CBS: Showtime
Viacom: MTV, Paramount Pictures
Time Warmer: CNN, HBO
News-Corp: Fox, Wall Street Journal

この6社中5社がリベラルで、民主党支持、反トランプとなる。保守系メディアは、フォックスニュースを持つ最後のNews-Corpだけである。米ケーブルテレビの放映時間で見ると約90%近くがこれら親バイデン、反トランプのメディアの視聴時間となる。

ここ十数年、多くのアメリカ人たちが年代を問わずテレビを見なくなった。ネットの発達でほとんどの新聞とテレビのニュースがネット上で無料で取れるようになったことも大きいが、前述したように偏った政治報道を流し続ける主要メディアのフェイクニュースに飽き飽きしたというアメリカ人も私の周りには多い。

また、日本の主要メディアの報道はなぜこれほど偏るのか？　これにはいくつかの理由があるが、大きいのは以下の理由だろう。

これは私の持論でもあるのだが、先にも述べた通り、日本のＮＨＫや新聞を含め大手メディアが特派員を派遣する場所としては、ニューヨーク、ワシントンＤＣ、ロスアンジェルスなどがほとんどである。

アメリカは、ブルーステートとレッドステートにはっきりと色分けされる国である。そして西海岸、東海岸の両沿岸部には、民主党の影響力が非常に強いブルーステート州が揃っている。

記者がもしこれら両沿岸部の大都市だけで取材していると、中西部、南部、西部などの巨大な人口を持つ州の住民たちが、どのような考えを持っているのかということは、その報道にまったく反映されないことになる。

さらに、これら日本のメディアの大半が引用する米メディア媒体は、ニューヨーク・タイムズ紙、ワシントン・ポスト紙。さらに、テレビでいうとＣＮＮに始まり老舗３大ネットワークのＣＢＳ、ＮＢＣ、ＡＢＣなどだ。問題は上述のように、これら主要メディアのほぼすべてがきわめてリベラル、左派的編集方針を維持していることが日本ではあまり知られていないことだ。

つまり、ほとんどすべて民主党系であり、反トランプ、反保守系メディアであるということである。米大手メディアで現在保守的見解を維持している媒体はフォックスニュースのみとなる。

また、日本のヤフーなどでニューヨーク在住やカリフォルニア在住の日本人ジャーナリストの現地からの報道という記事もよく目にするが、これも以上の理由で彼らが住む地域がリベラル岩盤のブルーステートであることを割り引いて読まなければならない。

つまり彼らが会ったり付き合ったりしている周りの人たちは、ほとんどリベラルで民主党支持、つまり反トランプであるということだ。何百人のアメリカ人に取材しようと、中西部や南部の郊外や田舎町で取材しているわけではないだろう。しょせん大都会のアメリカの一部の声しか、そこには反映されていない。

8. トランプ大統領のコロナ感染の報道

（2020年10月4日）

トランプ大統領の新型コロナ感染に対しての日米メディアの報道姿勢が数日経ってわかってきた。日本の主要メディアのほとんどの報道は私が予想していた通りで、大半がトランプのコロナ感染に対して否定的（自業自得だ）に報道しているようだ。これはアメリカのリベラル主要メディアの主張とまったく同じである。

多くの方から私の書くFB記事に、「日本のメディアではほとんど見聞きすることがなく驚いた」という声をよく聞く。ご存知の方も多いかもしれないが、日本の海外ニュースはほとんどアメリカの主要メディアのコピーである。元産経新聞の海外特派員であった高山正之氏が言っていたが、「日本の海外特派員の役目は欧米メディアの横書きを縦書きにするのが仕事だ」と。最初は笑ってしまったが言い得て妙である。

①唯一の大手保守メディア「フォックスニュース」の視聴率が急落

アメリカの大手メディアの中で唯一の大手保守系メディアがフォックスニュースである。それ以外にも保守系メディアの数はけっこうあるが、フォックスやCNN、ABC、NBCなどと比較すると規模が圧倒的に小さいため、今のところフォックスニュース一社のみが大多数のアメリカの保守層の信頼する情報ソースとなっていた。

それが、大統領選が終わった直後から報道姿勢が変わり始めた。そしてそれを感じた大勢の保守層視聴者が、同局から離れ始めるということが起きた。

（2020年11月25日　シカゴ時間午後5時アップデート）

「Fox News の視聴率が急落!」

米国大手メディアでは唯一の保守派メディアだったFox Newsの視聴率に異変が起きている。

私は他の保守メディアやリベラルメディアにも目を通しているが、選挙前まで他の主要メディアには大きな差をつけていたFox Newsの視聴率が急落している。

これはトランプ大統領が以前から指摘していたことだが、Fox には以前から反ト

ランプ、親民主党のジャーナリストが何人もいる。

私はこれをCNNなどの反トランプ一本槍よりも、まだ左右両方の記者を揃えていてバランスが取れているほうだと評価をしていたくらいである。

しかし、2016年大統領選以前から毎日Fox Newsを見ているのでよくわかるのだが、明らかに選挙後の昼間の番組のトランプ大統領の報道の仕方が大きく変わってきた。ひとことで言えば、他の主要メディアのようなトランプ批判を繰り返し行う口調に変わってきていたのだ。

これによって今までFox Newsをトランプ支持の唯一のメディアだと信頼していた人たちが大勢離れ始めたのである。


これはここ最近のツイートやSNSでも大きな話題になっていた。ニールセン社の発表によると、Foxの昼間の視聴率は、選挙日前から選挙後は、32%落ち込んだ。トランプ大統領がツイートで、FoxからNewsmaxへ移ろうという発信をしたことが一番大きいだろう。

これによって、Fox Newsに比較するとはるかに小規模のメディアである

Newsmaxの視聴率は大幅にジャンプした。

ただ、Fox Newsは週日のプライムタイム（夜の最も視聴率の高い時間帯）に3人のいずれも米国ニュース番組で最高視聴率トップ3位を争っているショーン・ハニティ、イングラハム・アングル、タッカー・カールソンがいる。この3人はいずれも強力なトランプ支持者で、トランプ支持者や保守派から大きな信頼を得ている。この3人の見解はいまだに変わっておらず、視聴率が下がっているというデータもない。

Foxも選挙後の平日昼間の平均視聴者数は163万人を維持していて、CNN（168万人）やMSNBC（171万人）とほぼ同程度だ。しかし、ニールセンによると、Fox Newsの視聴率下落と反対に同期間にCNNは33％増、MSNBCは9％増だったという。

過去の大統領選でも、特定の候補者のファンに人気のあるケーブルニュースネットワークが、その候補者が負けると視聴率が下がるのは珍しくない。

しかし、過去の例との一番の違いは、トランプ大統領が積極的にFoxを離れるように支持者に働きかけているということだろう。

ニールセンによると、Foxに変わってトランプ大統領が新たに支持を表明した保守系ネットワークのNewsmaxは、昼間の平均視聴者数が選挙前の8万8000人から選挙後は47万4000人に跳ね上がった。

これまでの1年間の過去の昼間の平均視聴者数は、

Fox　206万人
MSNBC　141万人
CNN　117万人
Newsmax　8・5万人

9．大手ニューズウィーク誌の的確な報道

11月後半、大手主要メディアの一つ、ニューズウィーク誌が、大変的確な現状と論評を出していたのでフェイスブック記事にした。この時期のトランプ弁護団の動きや鍵となる

ジョージア州の様子、ジョージ・ソロスの巨額献金報道などをまとめているので、ご参照いただきたい。このフェイスブック記事は、同誌の記事を参考にして書かれている。

昨日FB記事でジュリアーニ氏とパウエル弁護士のコメントを紹介した。

「トランプ弁護団とパウエル弁護士の関係は?」

(2020年11月24日　シカゴ時間午後1時アップデート)

①「双方の主張」

ジュリアーニ氏は、トランプ弁護団とパウエル氏は二つの違う理論(theory)を追っていると語った。

23日Fox Newsルー・ドゥブス番組で、ジュリアーニ氏は、同弁護団は「トランプ大統領の憲法上の権利を『奪った』地方選挙当局の『不正行為』に焦点を当てている」と語った。

一方、パウエル弁護士は、「不正マシーンを売り込んだドミニオン社に焦点を当て、

それによって数百万のトランプ票がバイデン票に変えられたという疑惑を追及している」と語っている。

また、彼女はジョージア州の共和党幹部がこのドミニオン導入に関わり、共和党の同州知事や州務長官が金銭を受け取っていたと語っていたこともあり、ジョージア州での1月の選挙をにらんで、トランプ陣営は一度パウエル弁護士を離脱させる形をとったとも考えられる。今後共和党首長の応援を得る場合にはその方がいいと判断したのだろう。

また共和党支持者の中からも、パウエル弁護士はこれらの主張に対して、現在明確な証拠を示していないという批判が上がっていることは事実である。

現在の状況は、トランプ弁護団とパウエル弁護士は、二つの違う目的を持って、トランプ勝利への訴訟へ向かっているということだろう。

②「最大の鍵、1月5日、ジョージア州上院議員決選投票」

このジョージア州決選投票は、現在アメリカで次の最も重要な選挙と言われている。私はこの選挙は、天下分け目の戦いであると考えている。

11月3日の選挙で決着がつかなかったジョージア州（ジョージアは50％以上獲得しないと勝者になれない）の2席の上院議員選挙がある。

現在、共和党が50席vs民主党48席で、1月5日に決選投票が行われる。この上院選挙を民主党が両方とも勝利すると同数になる。その場合、カマラ・ハリス副大統領候補が1票を投じれば、民主党が上院も制することになり、上院多数党院内総務をとり、それは共和党にとって致命的となる。

（1月7日時点で、ジョージア州二席の上院議員選挙の結果だが、両方とも民主党が制した）

現在株価が上がっているのは、共和党が上院の過半数を維持することで、民主党の過激経済政策である企業税、個人の所得増税、フラッキング（水圧破砕工法）禁止で石油・ガス産業、車産業の壊滅的打撃は防げるとの見通しもある。ワクチン成功のニュースで、コロナへ明るい見通しが出たことも寄与しているのは間違いない。

本日の大幅株価上昇に関していえば、テスラへのS&P銘柄入り決定でテスラ株の大幅上昇などもあるが、元米連銀総裁のイェーレン氏が次期政権の財務長官入りするという報道が、ウォール・ストリート・ジャーナル紙から月曜に流れたことが大きいだろう。今までの財務長官候補は民主党過激左派の一人、エリザベス・ウォーレンであったからで、これを市場は好感したと見られる。

③「ジョージ・ソロス巨額の献金」

すでに、民主党は巨額の資金を投入して選挙戦に入っている。特筆すべきなのは、Black PAC（黒人政治活動委員会）を通して、ジョージ・ソロスは$1・5 Million（約1・6億円）、ブルームバーグは$6・32 Million（約6・5億円）をジョージア州民主党に出しているということだ。

数名の民主党議員はこの選挙に投票するためだけに、自分の住所をジョージア州に移転することを発表したり、それを進めている。現在これらの動きは民主党サイドのみから出ている。しかし、これら投票の目的のみの住所移転は法律違反となる州が多い。

10. 11月、12月の大統領選の経過と私の見方

一般投票が行われた11月3日以降、私が選挙戦をどう見ていたのか。11月15日に発表したブログ記事を元に紹介しよう。

私はシカゴ郊外で複数の会社を二十数年経営している。地元の商工会議所にも大勢の友人がいる。4年前の大統領選ではこれら中小企業経営者の中には、それまで民主党支持者だったがトランプへ投票したという人が多かった。

オバマの8年間は、われわれ中小企業経営者やミドルクラスにはさまざまな負担が増えた8年だった。オバマケアは国民皆保険を目指し、膨大な数の生活保護家庭や不法移民まで強制的に保険に加入せねばならなかったため、ミドルクラスの毎月の医療保険額は2倍以上に跳ね上がった。

また、われわれ中小企業経営者の負担も大幅に増えた。そのほかにもさまざまなオバマの偏った政策には、もううんざりだという人たちも大勢トランプに投票した

わけだ。

私の周りには、今回もトランプ大統領に投票した人が多いが、その一番大きな理由は彼の実施してきた政策にある。彼の言葉は激しく、時には品がない表現を使うこともある。それらを嫌だという人は、トランプ支持、共和党支持者の中にも多い。

しかし、なぜ彼らはそれでもトランプへ投票したのか？ 今回の選挙でも7400万人が彼に投票している。前回よりも1200万票以上数を伸ばしている。もし彼の4年間が民主党や主要メディアの語る「物語」のように最悪なら、こんな投票者数になるわけがない。

①トランプ支持者の投票理由

一つには、企業税、個人の所得税の大幅減税などの経済政策。白人、黒人、ヒスパニック系、女性、アジア系ほとんどすべての失業率は歴史的低さとなった。この4年間、経済が成長してきて、株式市場は史上最高値を更新し続けてきた。移民政策は、メキシコ国境と不法移民取締りを強化したことで、アメリカ人たちの仕事が戻り賃金が上昇した。

とくに、黒人男性のトランプへの投票率は前回の8%から18%へと伸びた。郊外に住む女性やLGBTからの投票数も2倍に伸びている。有色人種からの支持率は過去60年のどの共和党大統領より多い。

日米主要メディアの発するトランプのイメージとはまったく違うのではないか?

② 世界各地の紛争地帯から米軍を撤退させてきた

さらに重要なことは、オバマを含めほとんどすべての過去の大統領は世界各地で戦争を開始し、中東を中心に戦争に介入してきた。アメリカでいまだに大きな勢力を持っている軍産複合体戦争屋は世界のどこかで戦争が起きていないと飯の食い上げになる。

トランプは公約でもはっきり言っているが「世界各地から米軍を引いていく」政策をとり、この政策は米軍の軍人からも大きな支持を受けている。事実この4年間一度も単独で戦争を開始していない米国初めての大統領である。この政策は米軍の軍人たちからも大きな支持を受けている。

戦争を始める政治家や軍産複合体と違って、実際戦闘の現場に行く軍人や指揮官は戦争を望まない人たちが多い。ただ国の存亡に関わる時は命を投げ出す覚悟の人たちだ。先日解任されたエスパー国防長官は元軍産企業のロビイストだった人で軍産から送り込まれた人間だった。

③すでに郵便投票の不正を予言していたトランプ

さて、今年の春先あたりから、トランプ大統領は何度も「自分は郵便投票による不正がなければ勝利するが、もしそれが起きた場合はわからない」と繰り返し語ってきた。私の身内で私以上のトランプ支持者は、郵便投票の過去のさまざまな民主党の不正に通暁していて、トランプは今回彼らの策略にはめられた。もしかしたら、再選は無理かもしれないという人もいる。

私は、民主党は4年前のヒラリーでの敗戦から着々と今回の準備をしていたと考えている。そして、その最大の隠し球が「郵便投票」だった。過去の私の記事で何度も書いているが、郵便投票は不正が限りなく起きやすいし、起きてきた過去がある。

とくに今回、不正集計、不正マシーンによるトランプ票からバイデン票への変換疑惑などが大量に出ているペンシルベニア州フィラデルフィアやミシガン州デトロイトなどは、いずれも民主党岩盤の昔から不正選挙の本家と言っていい街だ。

今年は年初からコロナ禍が起きた。これを民主党は郵便投票を大量に進める最大の理由に使った。コロナは民主党にとってまさに天佑だった。彼らはこれを使い、不正マシーン、死亡者投票、二回投票（郵便と実際の投票）、複数回投票（過去の違う住所での記録を元にそれらの地域での投票）、郵便局での不正操作（昔から郵便局はユニオン中心に民主党支持、今回も郵便局員に投票日以降の郵便投票の消印を投票日前に押せという指示等）など、数えればキリがないほどの不正疑惑が出てきた。

そして、共和党はそれら数多くの不正の訴えに対して、各州で訴訟を起こしている。すでに複数の激戦州では票のリカウント（数え直し）が進んでいる。

投票日の深夜までは、激戦州でトランプ票が大きくリードしていた。しかし一夜明けて朝になって郵便投票の集計が始まると、突然どこからか各州（すべて民主党首長の激戦州という偶然！）で数万票単位で「バイデン票のみ」の郵便投票が「発見」されて、それも明け方共和党の投票所監視団がいない時に出てきて、一夜にしてバイデンが逆転をした。

あまり日本ではわからない事情かもしれないが、アメリカでは各州で選挙委員会を管轄する州務長官は、民主もしくは共和党のどちらかから選挙で選ばれる。今回不正選挙の疑いが出ている地域はほぼすべて「民主党州務長官」の傘下で起きている。

ペンシルベニア州に至っては、民主党州務長官が11月3日の投票日必着の郵便投票用紙の期日を、10月末の選挙直前になって3日伸ばした。また、同州では消印がなくても集計されていたり、署名の一致の確認も行われていなかったことが判明している。

④ 法廷闘争での決着

現在、これらのケースはすべて法廷闘争の段階に入った。私の意見はトランプ大統領とまったく同じで、現在は司法の手に判断が移っていて、司法の判断を待つということだ。トランプ大統領は、現在「不正投票」をカウントせず、「有効投票」のみカウントするという民主主義の根本に関わる重要なことを要求し司法に任せている。

トランプ大統領は、「これはすでにバイデン、トランプの問題ではない。アメリカの民主主義が正しく機能しているかが問われている」ときわめて当たり前で正当なことを語っている。

⑤ 米主要メディアの敗北

今回、選挙に重要な影響を与えたものに、「主要メディア」、「統計会社」とツイッター等「ソーシャル」メディア会社がある。とくにメディアは選挙戦前から反トランプのニュースを流し、情報を恣意的にコントロールしてきた。

ツイッターに至っては、反トランプのアカウントにはまったくタッチせず、反バイデンのアカウントは徹底的に凍結するという検閲を行った。グーグル、ツイッター、フェイスブックといったプラットフォーム会社が巨大になり、傲慢にも片方の政治的主張を検閲するということには、今後大きな制裁が来ると予想される。

今回最大の敗者は誰かというと、私は「大手主要メディア」だと考える。これら米大手メディアの偏向ぶりとその罪に関しては別途カバーする予定だ。

⑥トランプの支援でマイノリティ下院議員が十数名誕生した
トランプ大統領に関して、さまざまな意見があるだろう。とくにメディアや日本でも言われているトランプ大統領に対しての非難の大きなものに、「予測できない」というものがある。何かいつも思いつきで物事を決める人間だという印象を与えたいようだ。

私の見方はまったく違う。長くアメリカでビジネスをやってきた人間として、予測できない相手ほど怖いものはない。簡単に予測できるような人間は怖くもなんともない。日本の官僚やメディアで、アメリカで実際にビジネスをやったことがある人間はいないだろうから、その程度の認識しかないのだろう。

普通の政治家であればとっくに敗者宣言を出している。しかし、トランプは違う。

彼だけは、最後の最後まで闘う人間だ。

まだ大手メディアや民主党は、彼を過少評価している。だから彼がどのような行動を取るか予測できないため、民主党はその恐怖からも焦って、バイデンに勝利宣言を出させ「既成事実化」を図っている。そして、自分たちのシンパの大手メディアを使って「往生際が悪い」の大合唱を唱えさせている。

情けないことに、大半の日本メディアもいつものように米メディアのコピーを続けている。ただ、そんなことくらいで引っ込むほどトランプは柔な男ではない。

今日現在トランプ大統領は未だ諦めていない。まだ訴訟や法廷闘争を通じて、勝利する道を探っている。


すでにジョージア州で行われている「手作業による再集計」や、それ以外の州でも「署名の一致」を確認する再集計を要求している。もしこれが行われると、状況は一変する可能性がある。とくにペンシルベニア州のように不正選挙の本家のような場所で今後どのように展開するかはまだわからない。

⑦７４００万票の信任の意味

いかなる形になろうと、トランプ大統領は彼に投票した７４００万人の人たちの負託を裏切ることはない。

この大統領選の結果が決まるのはいつかという質問がある。それは、「トランプ大統領が敗北宣言を出す時」だ。それを決めるのは、大手メディアでもなければバイデン民主党でもない。何度も言うが、トランプ大統領は７４００万人の米国民の負託を受けた人間だ。大統領選の結果の帰趨にかかわらず、その事実は変わらない。たとえバイデンだろうが誰だろうが彼の後に大統領となっても、トランプに投票した７４００万人の声を無視して政策を実行することはできない。

つまりどのような結果になっても、トランプ大統領は今後も共和党とアメリカ国民の中で、今まで以上に大きな影響力を持つだろう。そして、彼はそれを最大限に使って自らを支持してくれた人々のために闘いを続けるだろう。

私は彼は大きなグランドデザインをすでに持っていると見ている。そして、闘いはまだ始まったばかりだと考えている。

本章の最後に、トランプ大統領の選挙後初のインタビューについて、私のフェイスブックから引用して紹介しよう。

（2020年11月29日　シカゴ時間午後2時アップデート）

「バイデン黒人票が特定の都市ではオバマのとった黒人票より多かった不思議？」

大統領選が終わって初めてトランプ大統領はFox Newsのマリヤ・バリトロモ氏の約50分のインタビューに応じた。Fox Newsのサマリーも見たのだが、反トランプの偏向記事のトーンになっているので、要約はNewsmaxを使用している。

①バリトロモの質問に、「この大統領選は巨大な不正が行われた。郵便投票の不正と機械による不正、それぞれ多くの宣誓供述書に署名した証人が大勢出てきている。そして選挙結果を覆すためには、『勇敢な』裁判官と州議会が必要だ」と語った。「そして勇敢な裁判官か、勇敢な州議会、または訴訟を最高裁で取り上げ、大きな決定を行うことのできる勇敢な最高裁判事が必要だ」とも語っ

た。

②現在、トランプ大統領弁護団は、「最高裁に持ち込むために下級裁判所で訴訟を行うこと」と同時に「州議会で共和党の選挙人を選出する」という二つの行動を同時並行させた戦略を行っていると語った。

③トランプ大統領は、11月3日の選挙では大掛かりな不正が行われたと語り、民主党候補のジョー・バイデン氏が8000万票を獲得することがどのようにして可能なのか疑問を呈した。大統領は、幾度もバイデン氏が8000万票をとることはあり得ないと言ったが、興味深い数字を挙げた。

④「バイデン候補は、ある都市（激戦州の大都市デトロイト、フィラデルフィア、ミルウォーキー等不正疑惑の都市を指すと思われる）では、黒人票の得票率が前大統領オバマ氏よりも高く、それ以外の米国の都市ではそれほど高くない」という実際の投票結果を示した。

これは、激戦州に集中させて黒人票の不正投票をしたということを言外に匂わせていると考えられる。これら大都市でいくら黒人票は民主党が岩盤であることを差し引いても、オバマ前大統領より高い黒人票をバイデンが取ることはないだろう。それら大都市での私が聞いた黒人票も異常に高かったので驚いた記憶がある。

⑤トランプ弁護団は、共和党が多数を握る各州の共和党議会に対して、選挙プロセスの決定権を州知事から州議会に「取り戻す」べきだという働きかけを行ってきたが、それが支持を集め始めたと共和党上院議員の一人が語った。その一件の提案は11月28日にペンシルベニア州上院に提出されている。トランプ大統領弁護団は月曜日、アリゾナ州議会で別の証人喚問を行う予定だ。

⑥ジュリアーニ氏は、「われわれはスピードと情熱を持って、各州で早急に公聴会を開けるよう努力しています。われわれは十分な証拠を持っているが、時間がないのです。そして、主要メディアによる報道拒否という卑劣な検閲に

直面しており、これらの情報を一般の人々に届けるのが困難な状態です」とNewsmaxに語った。

https://www.newsmax.com/.../trump.../2020/11/29/id/999153/

https://www.foxnews.com/shows/sunday-morning-futures

第5章

「検閲」を始めた
ソーシャル・メディアの暴走と、
米国新型コロナ事情

現代の泥棒男爵、ソーシャル・メディア会社

19世紀に、アメリカにRobber Baron（泥棒男爵）と呼ばれる人たちが出現した。

これは、それより以前ヨーロッパでは、独占的利益を不法に行使する資本家や大地主を指す言葉として使われたが、19世紀のアメリカで、ヘンリー・フォード、アンドリュー・カーネギー、ジョン・D・ロックフェラー、J・P・モルガン、コーネリアス・ヴァンダービルドなど、金融や各業界でさまざまな手段を使い、競争を排除し、価格をつり上げ巨富を得た人々が出た。

カーネギーは鉄の分野で、フォードは車業界で、ヴァンダービルトは政府系積荷船の独占によって巨富を得た。ジョン・D・ロックフェラーはライバルであったすべての中小油田開発業者に対し、非合法な手法をいとわず、徹底した買収を進め、米国石油利権のほぼすべてを手中にしたことで知られている。

アメリカでは、これらの不正、不公平な手法を使ってでも競争に打ち勝って巨大な資本

家になった人々のことを「泥棒男爵」と皮肉を込めて呼ぶようになった。
その泥棒男爵が蘇った。現代の泥棒男爵は、シリコンバレーに居を構えるツイッター、フェイスブック、グーグルの創業者や経営者たちだという指摘が出てきた。

これら、ソーシャル・メディア会社は通常「プラットフォーム・カンパニー」と形容される。第三者に彼らの意見を発表する場を提供する「プラットフォーム」、つまり表現の場を提供するビジネスで、自らの意見を主張できる代わりにいろいろと制約のある新聞、出版社、テレビ局のような通常メディアである「出版業者（Publisher）」と違い、多くの優遇措置が取られている。米国通信品位法230条の保護の下、ユーチューブ、ツイッター、フェイスブック等は飛躍的に発展した。

この1996年に制定された米国通信品位法230条は、プラットフォーム提供会社に対して、第三者が提供したコンテンツに関して、訴訟されることのない免責事項を定めている。これによって、これらのプラットフォーム会社は米国で訴訟が起きた時の膨大なコストを削減できるというきわめて大きな特典を得ている。

この通信品位法230条に関する著書のある米海軍兵学校のサイバーセキュリティ担当のジェフ・コセフ教授は、わかりやすい例は、レストラン評価サイトの最大手「Yelp」だという（日本では、「食べログ」にあたる）。つまり、Yelpに投稿されたレストランへの誹謗中傷に対して、レストランはレビュアーに訴訟を起こすことはできるが、Yelpを訴えることはできないというものである。

また、この法律では、プラットフォーム提供業者は、利用者が過度に卑猥、暴力的、挑発的、嫌がらせ、また「それ以外の理由」でコンテンツが好ましくないとの判断をした場合、そのコンテンツを削除できる。そしてその場合、プラットフォーム提供業者は責任を負わない。同法ではプラットフォーム提供業者が自由にコンテンツを自己判断して、利用者のコンテンツのネット上から「削除」できる。

2020年の大統領選前から、これら大手のプラットフォーム会社の創業者、経営者などは民主党や民主党系支持者へ巨額の支援寄付を行ってきた。そして彼らの経営するプラットフォーム会社では、一方的にトランプ大統領側の主張を虚偽の「ファクトチェック」があったと主張して削除した。

そのため、彼らが一方の政治的主張をすべて許容し、片一方の政治的主張には自らの「検閲」を行ったとの厳しい非難がトランプ大統領や上院、下院の議員から上がってきた。その結果、2020年には合計三度ほど米議会での公聴会にこれらの会社の最高責任者たちが召喚され、厳しい質問と指摘を浴びた。

短期間で巨大な売り上げを誇る会社に成長したこれらソーシャル・メディア会社は、このような法の抜け穴を利用して急成長してきた現代の「泥棒男爵」だとの指摘が出てきたのである。

1. 大半の人はすでにソーシャル・メディアを信用していない

ツイッターやフェイスブックなどのプラットフォーム会社は、一般の人々に対して、自らの意見を発表する場を提供し、この十数年飛躍的に成長して世界的大企業に変身してきた。それら創業者や経営陣たちは、すでに株式の上場価格が急騰したことで巨富を得たビリオネア資産家となった。

ただ、第4章で述べた「2020年、最大の敗者は『メディア』」と同じく「2020年、ソーシャル・メディア会社が敗者」という見方が増えている。ソーシャル・メディアに対するアメリカ人の意見について、私は次のように記している。

（2020年2月26日　シカゴ時間午後12時30分アップデート）

「『噂、ウソ、時間の無駄』：大半の人はソーシャル・メディアをすでに信頼していない」

ソーシャル・メディアに対して、人々がかつて持っていたポジティブなフィーリングはすでに過去のものだ。

つい最近のNBC News/Wall Street Journal の統計では、アメリカ人はソーシャル・メディアに対してその信頼を大きく下げている。

（12月26日　What's New in Publishing より引用）

その否定的な意見の要因とは何か？
アメリカ人はソーシャル・メディアに対して以下のように考えている。
①82％が「時間の無駄」
②61％が「不公正な攻撃と噂をばら撒いているだけ」
③55％が「嘘と虚偽をばら撒いている」
④57％が「われわれを分断している」

ウォール・ストリート・ジャーナル紙の情報・政治レポーターのダンテ・チニー氏は、「ソーシャル・メディアの中でも、際立ってフェイスブックに対しての否定的な意見が増えており、この傾向は改善していない」と語る。

また、否定的な意見は、ソーシャル・メディア会社に限っており、その他のテクノロジー会社にはそれほど影響を与えていない。大多数のアメリカ人はアップル（54％）、グーグル（63％）、アマゾン（65％）に対しては肯定的な意見を維持している。

調査に応じた60％のアメリカ人は、「次の5年間にはこれらテクノロジー会社の変化はより希望的なものになるだろう」と答えている。しかし、60％の人々は、「フェイスブックが個人情報を十分に保護することに対して信頼をしていない」と答えたとダンテ氏は語った。

このフェイスブックの数字は、他のテックカンパニーの「アメリカ人の37％がグーグルをまったく信頼していない」や「アメリカ人の28％がアマゾンを信頼していない」よりもはるかに悪い数字だ。

このような否定的なソーシャル・メディア・プラットフォーム会社、とくにツイッターとフェイスブックは、彼らのコンテンツのデストリビューション戦略を見直す時期にきているだろう。

しかし、彼らに悪いニュースばかりでもない。60％の人々は、「一日に一度はこれらソーシャル・メディアを使う」と答えている。

これらの数字では人々はソーシャル・メディアがそれほど好きではないが、今のところ離れて行く準備をしているわけではないということだ。

2．ハンター・バイデン中国金銭授受ニュースを遮断したソーシャル・メディア

10月14日、バイデンの息子ハンター・バイデンの画像やメール合わせて2万数千に及ぶ情報が入ったパソコンのコピーの一部がニューヨークポスト紙によってスクープされた。ハンターが2019年に修理店に持っていったものの（自身のサインが残っている預かり証がある）取りに来なかったため、オーナーがFBIに持っていった。2020年になって、元NY市長で現在トランプ大統領の個人弁護士であるジュリアーニ氏が入手してニューヨークポスト紙によって公開された。

「ハンター・バイデンの中国ビジネスのパートナーが大統領選の10日前に爆弾発言」（2020年10月22日）

つい数分前、トランプ、バイデンのディベートの1時間前に、さらに驚くべき

ニュースが流れてきた。Fox Newsで流れたのは、ジョー・バイデンの息子で中国から疑惑の（1600億円）資金を受けていたハンターの中国ビジネスのパートナー、トニー・ボブリンスキーのライブ記者会見である。彼はジョー・バイデンはそれら中国とのディールを知っていたと報道陣の前で語った。

「ジョー・バイデンは息子からビジネスのことは何も聞いていないと語っているが、それは嘘である。私はその場にいた。ここに3台の証拠の携帯電話を持ってきた」と報道陣に見せる。

「この話があったのは、2015年から2018年までの間だ。私は、ハンターからジョー・バイデンとジム・バイデンに紹介されてバイデン家の歴史や中国での将来のビジネスプランを1時間ほど打ち合わせをした」

このニュースを報道したのは、大手メディアではFox Newsのみで、これまでのハンター・バイデン疑惑のほぼすべてのニュースを遮断してきた米主要メディアとソーシャル・メディアはこれまでと同様このニュースも無視した。

現在、バイデンはレポーターからこの疑惑に対して質問を受けても、この事実は否定していない。また、これはトランプやロシアからの選挙妨害の一環だと民主党は語っている。そして、大手主要メディアも直後から一斉に「これはロシアのディスインフォメーション（虚偽情報）だ」と口を合わせたように否定に走っている。もしくは、このハンター・バイデンの疑惑ニュースは完全に無視している。

現在、アメリカで大きく問題になっているのは、ニューヨークポスト紙の記事を取り上げたツイッターの記事やリツートがすべてツイッター社によって削除されていることである。つまり、自らが支持する（民主党）バイデンに関する否定的報道をブロックするというニュース記事の検閲を自社で行い、削除しているということが重大視されている。

アメリカ人はニュース報道の73％を、ソーシャル・メディアから取っているという統計がある。つまりツイッターやフェイスブックのニュース媒体としての存在が、以前とは比較できないくらい高まっている。

これに対して、共和党議員を中心にツイッターやフェイスブックの経営者を証人喚問に呼び、質問をするという事態になっている。

これらのＳＮＳカンパニーは、ご承知のようにシリコンバレーに本社を置き、米国でも最大級に急成長して巨額の売り上げを誇る会社となっている。その創業者たちは、いずれも超億万長者ビリオネアになっている。また、彼らが一貫して民主党を支援していて、親バイデン、反トランプであることは広く知られている。

しかし、この新しいメディアとも言える大きな影響力を持ってきた会社が自社の方針をもとに片方の政治報道の存在をプラットフォームに許し、片方の政治報道は「検閲」し削除するということは、報道の自由、国民の情報を知る権利の侵害であるという大きな非難が起きている。

とくに、トランプ大統領や共和党議員からは、米国通信品位法230条項のプラットフォーム会社の優遇措置の法律を見直すべきだという議論が起きている。

以下は、これらグーグル、フェイスブックなどの創業者たちがどのくらいバイデン支援の政治活動特別組織（Super Pack）への寄付をしてきたかの数字である。

フェイスブック共同創業者ダスティン・モスコビッツ　少なくとも2200万ドル（約25億円）

トゥイリオ創業者　ジェフ・ローソン　600万ドル（6・3億円）

グーグル社元CEO　エリック・シュミット　75万ドル（8000万円）

（以上 Fox News より引用）

かつて共産主義国内、「鉄のカーテン」の向こう側で常習化していた検閲だが、現代になってこれらソーシャル・メディアによる新しい形の「検閲」が始まっているのである。

（2020年12月9日）

「私自身のソーシャル・メディアで起き始めたフェイスブックの『検閲』」

最近、少ないですがいくつか私の記事がFBによって削除されています。このトランプのラリー（集会）の記事も、元になっている主催者はWomen for Trumpでトランプ大統領支援の平和的なラリーであるのに、オリジナルのコピペが何度もうまくいきませんでした。そしてその記事自体が削除されている。

ビッグテックによる検閲は、あきらかに彼らが言うヘイトやチャイルドポルノ、視聴者に著しく不快を与えるコンテンツを削除するとの域からすでに大きく政治的に偏向したものになっています。

これは、共産主義国家では頻繁に行われてきた「鉄のカーテン」による新しい形でのメディア検閲の再来です。これについては別途記事にする予定です。

私の記事は、基本的に私のAmebloブログにいくとすべて読めるようにしてあります。また、このブログではこれからFBだけではカバーできにくいさまざまなトピックスを今後書いていきたいと思います。ぜひ私のAmebloブログもフォローください。

私の動画も基本的にユーチューブへアップしています。もし、FBで見れなくなった動画があればユーチューブへいってご覧ください。これも今後の動き次第ですが、ユーチューブのみでアップする動画もあるかと考えています。しかしすでにユーチューブからも多くの政治的な動画が削除され始めています。

われわれは今、過去経験したことのないSNS大手によるワンサイドの「検閲」という事態に直面しています。

3．2020年、三番目の敗者、世論調査会社

２０１６年の大統領選は、ほぼすべての世論調査会社がヒラリー・クリントンの勝利を予測していたため、ほとんどの世論調査会社の予測は外れた。また、２０２０年の大統領選挙も、同じくほぼすべての世論調査会社は予測を間違えた。その中で、２０２０年の大統領選の予測を当てた世論調査会社がある。その会社について私のフェイスブックで取り上げているのでご紹介したい。

（2020年11月8日）

「今回も正確だった数少ない世論調査会社の分析」

選挙日前のほぼすべての世論調査会社では、投票日が近づいて若干縮小したとはいえ、バイデンがトランプを10ポイント以上（多い会社は17ポイント）引き離し勝利すると予測していた。

もしそれが事実ならば、バイデンの地滑り的勝利がなくてはおかしかったはずだ。結果は、激戦州でもいまだ開票や票の数え直しが行われている接戦になったわけだ。

現在の時点で総得票数は、バイデン７２００万票vsトランプ７１００万票だ。

つまり、ほぼすべての世論調査会社と主要メディアは２０１６年に続き、大きく投票結果を間違えたことになる。

その中で、今回も数少ない世論調査会社のみが非常に正確な選挙結果の予想を出していた。

ビッグデータ・ポール、トラファルガー・グループ、デモクラシー・インスチチュートの３社だ。

そのデモクラシー・インスチチュートのパトリック・バシャム氏が英紙サンデー・エキスプレスに今回の大統領選の総括を書いていて、大変興味深いので紹介したい。

バシャムは、ソ連の独裁者スターリンの「誰が投票するかは重要ではない。どのように集計されるかが重要だ」という言葉を引用した。彼は、今回の大統領選挙を見ると、この稀代の独裁者の言葉はそのままこの米大統領選に当てはまり真実味を帯びてくると語る。

「不正投票」がカウントされると、通常大半の世論調査会社は外れることになるだろう。しかし、今回「不正投票」の数字を含めなくても、ほぼすべての世論調査会社は大幅に結果を外した。

①なぜ他の世論調査会社は間違ったのか?

彼らは、回答者の3分の1が投票しない民主党に偏った登録有権者の調査に頼った。われわれは実際に投票する「可能性の高い」有権者のみを調査した。それによって多くのメディアの世論調査で予想した二桁のバイデン有利の支持率ではなく、民主党に2ポイントの有利な数字を与えた。

また、ほとんどの統計会社では、ミレニアル世代、女性、マイノリティ有権者の民主党への投票率が大幅に上昇すると予想したが、現実は違った。新しい投票者は両党から均等に出た。彼らは、500万人の新しいトランプ有権者が出ることを見逃した。

今回の選挙で「隠れトランプ有権者」は、「都市部の黒人男性」と「郊外の白人女性」で大幅に増えた。都市部の黒人有権者と、郊外の白人女性はトランプに多くの投票をしたことが確認できている。

②われわれが予想し、正確だったトランプへの高い投票者層は？

1. トランプへの全米での高い投票数
2. フロリダ州、アリゾナ州、ネバダ州でのヒスパニック系投票数
3. ユダヤ系、福音派、無党派の投票数

フロリダ州の差を小数点以下の数ポイント以内、アイオワ州とオハイオ州ではトランプ氏の健全なマージン、ノースカロライナ州とジョージア州で小幅な勝利を予測した。

先週の日曜日の時点で、私たちのバイデンへの投票予測が数ポイントはずれた場合、それは「投票の不正」を反映するだろうと書いた。私の言葉は先見の明があったと言えるだろう。

た。

③ミシガン州

ミシガン州でのトランプの勝利は、開票が恣意的に停止されるまでは的中してい

トランプは、共和党の大統領候補としては、60年間で最大の非白人票シェアを獲得した。バイデンの投票数は、ミルウォーキー、デトロイト、アトランタ、フィラデルフィアを除く、全国すべての主要な都市圏でヒラリー・クリントンを下回った。

選挙アナリストの第一人者であるロバート・バーンズは、これらの「民主党系知事や首長のスイング・ステーツ（激戦州）大都市では、投票数が登録有権者数を上回っていた」と指摘している。

ペンシルバニア、ミシガン、ウィスコンシンでのトランプの勝利は、突然夜中に集計が恣意的に停止されるまで、順調に進んでいた。奇跡的とも言える数十万票（すべてバイデン氏の票）が不思議なことにどこからか「発見」され、トランプ氏の真のリードはその後消えてしまった。

最終的な結果が出るまでまだ長引くだろう。

スターリンの言葉は現在にも当てはまるということだ。しかし、どちらの候補者が勝利しようと、ほぼすべての世論調査会社はすでに信頼と影響力を失ってしまった。

4. アメリカのコロナ政策とコロナ事情

アメリカでは2020年3月から全米規模のロックダウンが始った。ニューヨークはそのエピセンターとなり、クオモ州知事が人工呼吸器やベッドがまったく足りなく医療崩壊が起きると緊急声明を出した。それに応え、トランプ大統領はゼネラルモータースやゼネラル・エレクトリックなどハイテク企業に急遽人工呼吸器を製造させ、感染者が急増した州へ医療器具やベッドを供給した。しかし、ニューヨークで言えば、急造された1000床のベッドや、西海岸からニューヨークまで回航された1000人の患者を診療できる巨大軍事用病院船「コンフォート」などがほとんど使用されることがなかった。これらの人工呼吸器や病院船派遣などには莫大なコストがかかったが、それらはすべて米国民の税金である。

この項では、コロナに対する政策がトランプ政権でどのように行われたかということと、それをメディアはどのように報道したかということを中心に描写したい。とくに、8月からトランプ政権の新型コロナのアドバイザーに就任したスコット・アトラス博士のインタビューをお伝えしたい。3月からのコロナにまつわる事件の詳細な経過を伝えるには一冊の本でも十分ではないので、ここではその一部をお伝えすることにする。

また、2020年4月の時点で、この新型コロナで報告されている死亡者数が大幅に水増しされていたことを発信した女性医師アニー・ブカチェック博士の所見も大変興味深く、私がインタビューした内容を紹介したい。

①ホワイトハウス・コロナ対策アドバイザーのアトラス博士のインタビュー

2020年9月27日に、ホワイトハウスのコロナ対策アドバイザーのスコット・アトラス博士のフォックスニュースのインタビューを翻訳して私のフェイスブックで記事にしたところ、たった1日で500件余りのシェアをいただいた。今までの私の記事と同様に、大勢の方から、このニュースも日本ではまるで報道されていないことで大変驚いたとの感想をいただいたので、ここで紹介したい。

「メディアは真実の一部しか伝えていない」
（2020年9月26日）
（Fox News "The Ingraham Angle" より）

この8月から、ホワイトハウス新型コロナ対策委員会アドバイザーに就任したスタンフォード大学フーバー研究所上級研究員のスコット・アトラス博士はFox NewsのThe Ingraham Angleのインタビューで、「メディアは部分的な真実を切り取って伝えている。これが大きなダメージを社会に与えている」と語る。

アトラス教授は、「この3月と違い、われわれは多くの事実をこの新型コロナについて知っている。すでにハーバード大学、ケンブリッジ大学やスタンフォード大学などでさまざまなデータの解析が進んでいる」と語った。

ピーター・アレクサンダーNBC記者からの「あなたの発言はCDCディレクターのレッドフィールド博士の発言と矛盾しているのではないか？」との質問に、「レッドフィィールド博士は言い違えたのではないか。多くのCDCの数字はかなり古くなっているものもあるからだ。例えば、CDCの出した『9％の米国民は抗体を持っている』という発表だが、州別で詳細に見てみると、このデータはすでに古いものであることがわかる」と答えた。CDCが発表した「人口の90％はウイルスに対して脆弱だ」という主張は真実ではない。なぜなら非常に多くの人たちがすでにT型細胞（感染細胞を殺すキラー細胞と言われる）を持っているからだ。

これによって、なぜ子供のリスクは著しく低いのか、またアジアではすでにコロナウイルスの暴露があったため大きな問題となっている国はないことが説明できる。

「われわれの全員がこの感染病に脆弱である」との意見があるが、これは正しくない。すでにわかっていることは、現在新型コロナで陽性者の少なくとも3倍、さらに多くの人たちが、T型細胞を持っているということだ。アトラス博士は、このT

型細胞について「日本がいい例である」と付け加えた。

CDCが発表したように、新型コロナの生存率は、19歳以下で99・997%、20歳〜49歳で99・98%、50歳〜69歳で99・5%、70歳以上で94・6%。

つまり現在われわれは「誰のリスクが高いのか」、「誰のリスクが高くないのか」を正確に科学的なデータから把握しているということだ。

私の意見では、米国の公衆衛生当局は失敗をしたと考える。すでに目の前にデータはある。われわれは恐怖によって麻痺する必要はない。この病気に対して脆弱であることがわかっている高齢者や合併症を持つ人たちへの保護は、細心の注意を払わなくてはならない。しかし、社会をロックダウンすることによってのさまざまな弊害を知った今、社会は再開されなくてはならない。

（2020年10月7日）
「新型コロナのアドバイザー、アトラス教授インタビュー」

Fox Newsの"The Ingraham Angle"から、今回のトランプ大統領の新型コロナ感染によって何か政策に変化はあったかの質問に対して、アトラス博士は「まったく変わりはない」と返答。
トランプ大統領のコロナ政策は、「コロナに一番脆弱な高齢者や合併症を持つ人たちを守り、学校と社会を再開する」というものだ。

米公衆衛生責任者や州知事たちは「コロナのすべての原因を止める」と語っているが、これは社会を破滅に導く。

以前行われたようなロックダウンを再開することは、恐ろしく社会にダメージを与える。

昨日出たばかりのデータだが、「最も多い6種類のガン患者の46%は過去3ヶ月のロックダウンの間一度も治療を受けることができなかった。これは乳ガンでは半分を占めるが、これらは氷山の一角に過ぎない」。

ロックダウン中、60万人の放射線治療の患者の半分が治療を受けることができなかった。3分の2の人がガン検診を受けることができなかった。

半数の子供たちが予防接種を受けることができなかった。さらに深刻なことは、6月には18歳から24歳までの若者の25%がこのロックダウン中、自殺を考えたことがあるという統計が出ている。

「ロックダウンというのは、金持ちの贅沢」という側面がある。つまり富める者よりもワーキングクラス（労働者階級）が、はるかに大きいダメージを受ける。

イングラム氏が、バイデン候補はいつもトランプは科学を重要視していないと言っているがとの質問に「トランプ大統領は、ホワイトハウスの科学者からのアドバイスに加えて、ハーバード大学、スタンフォード大学、オックスフォード大学の感染学の権威たちによって科学に裏付けられた進言を重用して、それをコロナ対策の戦略として実施している」。

イングラム氏は「バイデン氏はいつでもどこでもマスクをするのが科学だとの主

張で、マスクを何かシンボルのように語っているが、これに関してはどうか？」という質問に「トランプ大統領はこの病気を過小評価したことはないし、科学によって裏付けされたガイドラインを遵守している。ＮＩＵ（米国国立衛生研究所）のガイドラインを昨日チェックしたが、『ソーシャルディスタンスを取れない場合はマスクをしてください。病気の時や症状が出ている時はマスクをしてください』ということになっている。また、子供の新型コロナのリスクは高くないというトランプ大統領の発言はＪＡＭＡ（Journal of the American Medical Association 世界で最も読まれている医学雑誌）でも裏付けされていて、これは議論の余地さえない」と答えている。

フェイスブックがトランプ大統領の「風邪による死亡者は新型コロナ死亡者より数が多い」という発言をファクトチェックで正しくはないと削除した件を、Fox NewsがＣＤＣのデータを当たってみたところ、風邪による0歳〜18歳の死亡者数は４３４人、新型コロナの0歳〜24歳の死亡者数はそれより低い４２９人だった。つまりトランプ大統領の発言した数字は正しかったことがデータからわかった。

②ロックダウンのリスク、免疫の科学、コロナの政治化

ウォール・ストリート・ジャーナル紙は、集団免疫に関する興味深い記事を掲載した。少し長くなるが、ここでご紹介したい。

（Wall Street Jaurnal 紙10月23日付記事から抜粋）

スタンフォード大とハーバード大医学部で、疫学の研究者であるバッタチャリヤ博士は医師であり、経済学者、クードルフ博士も同じ二つの大学で疫学の研究者であり生物統計学者だ。

二人は、この10月4日、世界的な議論を呼んだオックスフォード大学疫学者のスネトラ・グプタ博士と共に"Great Barrington Declaration"（グレート・バーリントン宣言）を発表した共同執筆者。この宣言は、「コロナに脆弱な高齢者と合併症を持つ人たちを守り、リスクの低いそれ以外の人たちには社会を再開するするべき」との主張で、ロックダウンには反対の意見を表明している。

しかし、彼らは既存の学会の意見とは背反する宣言を出したということで大きな批判を浴びた。

「専門職のプロフェッショナルや弁護士、銀行員、ジャーナリスト、私のような科学者は、基本的には自宅で仕事ができるので、ロックダウンの被害は最少である。しかし、数多くいる、例えば60代のワーキングクラス（労働者階級）の人たちはそうはいかない。つまりロックダウンは貧困層や社会的弱者、マイノリティに対して富裕者層よりはるかに大きなダメージを与えている」

バッタチャリヤ博士は「短期的な尺度だけで見てはいけない。これらのロックダウンによる健康被害は、非常に長い間続くことになるだろう」と述べている。彼は、コロナ対策のために行われるロックダウンは、他の伝染病の種を蒔いていると言う。「百日咳、ポリオなどの予防接種はその間中止されるために、再発するだろう。私たちが大幅に改善してきたこれらの病気は、すべて再発することになるだろう」と語る。

9月9日に、スタンフォード大学医学部の98人の教員は、トランプ大統領のコロナウイルス対策アドバイザーのスコット・アトラス博士を批判する書簡を発表した。これに対してクードロフ博士は、「非常に奇妙な書簡だ」と語る。彼らはアトラス博士が非科学的であり、科学を誤魔化していると厳しく批判した。

しかし、その証拠は何も示していない。また、この意見に反対のスウェーデン人たちは、アトラス博士の批判者たちに、「科学的な議論や談話をしてほしい」と呼び掛けたが、98人のうち誰も参加しなかった。

クードロフ博士は、「集団免疫」という言葉は「2020年に最も誤解される用語」になるだろうと語る。彼はこの用語のあまりに多い誤解を嘆いている。この用語は、「伝染病拡散の標準的モデルから出てくる専門用語」であり、それは「感染後に何らかの免疫が実際に起こるあらゆる伝染病の最後の段階」で、生物学的事実であると語る。

「反対者は、われわれが『集団免疫戦略』を企てていると非難する。しかし、それはプロパガンダ用語だ。結局、ワクチンができるまでロックダウンを続ける戦略も集団免疫で終わることになる」

「疫学者が集団免疫を議論することはおかしなことなのです。物理学者が重力を信じるかどうかについて話し合うことはないでしょう。これは、まるでパイロットが『飛行機を地上に着陸させるために重力戦略を使うべきか』と言っているようなものだ」

クードロフ博士は、集団免疫は基本的な科学的原理であり、「どうすれば、社会の荒廃を最小限に抑え、人類の悲惨を最小限に防ぎ、死を最小限に抑えて、最終的に良好な状態に戻るか」ということに、疫学者や政策立案者は全力を尽くさなくてはならない、と語る。

5. 米国の新型コロナ死亡者数の水増しに対して、果敢に発言を続けるアニー・ブカチェック博士

2020年8月、私は自分のフェイスブック・ライブで一人の米国人ドクターを日本の視聴者に紹介した。彼女の名前はアニー・ブカチェック博士。モンタナ州カリスペル市で三十数年にわたって開業しているドクターである。

2020年4月以降、公開されるコロナ死亡者数が大幅に水増しされているという発信を始めて以来、いくつものメディアが取り上げ始め、彼女の発信するSNSやYoutubeは

大勢のフォロアーやサポーターがいる。彼女はいくつもの官民の公聴会で、新型コロナの発表されている数字の疑義について、公式にその見解を発表している。

たまたま、私のシカゴの古い友人であるジョン・ブカチェックの妹であり、彼からコロナの死亡者数に関して公聴会でその意見を発表しているドクターであるということを知り、大変興味を持った。そしてジョンを通して彼女と話をするうちに、このドクター・アニーは大変勇気を持って発言を続けていると知り、ぜひ日本の視聴者に紹介したいと思ったのである。

そして、彼女の住むモンタナ州と私とジョンの住むシカゴをつなぎ、3人のズームミーティングをフェイスブック・ライブを使って動画配信した。ズームをフェイスブック・ライブで流すという経験はほとんどなかったのだが、なんとたった数日間で1万人にのぼる人たちが彼女のインタビューを視聴し、１０００回に及ぶシェアがされて世界中で見られることになった。この動画は英語と日本語の両方で発信されたので、英語圏と日本語圏の両方で視聴されたのである。ここにその内容を紹介しよう。

（ドクター・アニー・ブカチェック博士の経歴）

「モンタナ州カリスペル市で30数年にわたって自身のクリニックを開業しているドクター。2012年、2019年、2020年とモンタナ州フラットヘッド郡のベストドクターに選出された。2000年には、米国内科糖尿病学会から内科治療の向上のためのモデルを作る委員会に、全米から選出された6人のドクターの一人に選ばれた。2019年、米国内科学会からモンタナ州で年間にその州から一人だけ選ばれるLaureate Award賞を受賞」

以下、私が彼女に行ったインタビューの要約である。

――PCRテストはどこまで信用できるのでしょうか？

まだこの新型コロナの遺伝子解析でのウイルスの分離じたいができていないのです。そのため新型コロナ（COVID-19）のテストに信憑性があるとは言えません。

——死亡診断書に記載された新型コロナの死亡原因はどこまで信頼できますか？

ドクターたちは一般的に死因の判別をするのは簡単ではないということをコロナ禍の前から知っています。私は、4月5日に新型コロナによる死亡原因の数字が正確でないことを詳細に発表しています。死亡原因の信憑性への疑問は、新型コロナという判断をすることでの医療機関への経済的なメリットがあることに依拠します。

また、CDC（米国 疾病対策予防センター）は死亡原因を新型コロナだとするよう指導をしており、これによって死亡原因の水増しが起きています。

——マスクとソーシャルディスタンスは、どの程度効果がありますか？

過去三十数年の私のドクターとしての経験と医学界で務めてきたさまざまな重要な役職での経験から、この3月まで今まで一度も健康な人々にマスクをすることと、ソーシャルディスタンスをとることを奨励したことはありません。一度たりとも。

「よく手洗いをする」、「病気の時は家にいる」、「病気で咳がある時はマスクをする」ということは、いつでも奨励しています。ホワイトハウス新型コロナ対策委員会のファウチ博士も、3月には「健康な人がマスクをすることは意味がない」と発言していました。

――陽性者と感染者、無症状の違いについて説明してください。

テストが陽性であった場合には陽性者となります。それだけです。米国のほとんどの病院では、例えば大腸ガンの検診の時に事前にコロナの検査をしますが、それで陽性となった人のほとんどは無症状であるか、もしくは鼻づまりのような軽い症状がある程度。コロナのテストによって陽性の場合、その報告は州政府に上がり、その人は自己隔離することになります。その人が完全に無症状であっても隔離することになり、その場合このケースを感染者と呼びます。

――ホワイトハウス新型コロナ対策委員会のデボラ・バークス博士が、この新型コロナの死亡者数に関してコメントを出しているが、説明をお願いします。

バークス博士は、「発表されている新型コロナの死亡者は約25％上乗せされている可能性がある」と語っています。現在のCDCのディレクターのレッドフィールド博士も同様に、新型コロナの死亡者数は上乗せされていることを認めています。

――ＣＤＣはいくつか違う形で新型コロナによる死亡者数を公表しており、その中で一番大きな数字をメディアが発表していると話されましたが、その説明をお願いします。

これは非常に重要です。４月中旬までは新型コロナによる死亡者数は５万４０００人だと発表されていました。しかしＣＤＣのウェブサイトで詳細に確認すると、新型コロナのみによる死亡者数は１万１０００人でした。この５万４０００人はインフルエンザもしくは、肺炎、もしくは新型コロナの合計死亡者数。つまりそれぞれの死亡者数が公表されていたため、簡単に引き算をして新型コロナの人数を割り出せたわけです。

しかし、この三つの病因の死亡者数のうちインフルエンザと肺炎の死亡者数を引くと、新型コロナの死亡者数は１万１０００人よりさらに低い数字となったのです。ただ、６月からＣＤＣは肺炎のみの死亡者数の発表を止めてしまい、これによって引き算による正確な新型コロナの死亡者数を算出することができなくなりました。

――米国立保健センター（National Center of Health）**のディレクターが、コロナで死亡と判定する場合のガイドランとは？**

コロナの死亡判定は、「コロナで明らかに死亡したと判定できる」か、もしくは「コロナが原因で死亡したと推測される場合」との返事が来ました。

――医療機関には新型コロナと診断することでの経済的なメリットはありますか？

メディケア（65歳以上の人が入れる政府援助の保険）から新型コロナと診断した段階で1万3000ドル（約150万円）が、人工呼吸器を患者につけた段階で3万9000ドル（430万円）が支払われます。さらに2020年の米国コロナ緊急対策費（現時点で約320兆円）からコロナに要した費用に20％上乗せして医療機関に支払われます。

――メディアの恐怖を煽るセンセーショナリズムに関して、どのように考えますか？

過去10年間にさまざまなウイルスが出現しました。例えば、H1N1（新型インフルエンザ）、エボラなどですがいつもパターンは同じでした。恐怖に満ちた予想が発表されて、死と破壊の恐怖の報道が流されます。それらは現実にならなくても、恐怖に満ちた予想が流され続けその中で人々は生きなければならないのです。

そして次の段階はワクチンが開発されます。毎回同じような映画やテレビシリーズが作られてきました。そしてその中では、恐怖の伝染病を退治するCDCの専門家やワクチンが救世主のように描写されるのです。

そのため、この新型コロナを聞いた時、また同じパターンが来たのだと思いました。ただ、唯一今までのウイルスと違うのは、この新型コロナの人々の恐怖を煽るレベルは巨大で、現在世界をシャットダウンしてしまったことです。

――なぜあなたのSNSやユーチューブは、何百万人の人たちがフォローしているのでしょうか?

大半の人たちはこのコロナに対して非常に恐怖感を持っています。しかしその中でも大勢の人たちは、すでにどこかで何か大きな嘘があるのではないかと感じている人がいるということではないでしょうか。

つまり報道されていることが、何か正しくないと感じているのでしょう。私のビデオを見る人たちは、「どこか自分たちは大きな嘘に騙されているのではないか」と言ってくる人が大勢います。大勢の人たちが、このメディアによって恐怖を煽るやり方が本当におかしいと感じているのではないでしょうか?

――このロックダウンに対してどのように考えていますか、またどのくらい人々に影響を与えていますか?

このロックダウンによって、自殺、家庭内暴力、ドラッグ被害、子供への性的虐待、介護施設での孤独が急増しています。ロックダウンが健康と安全に対して大きな脅威であることは明白です。

ドクターが患者に処方を伝える時は予想される結果の是非とともに、その処置をとった時のリスクとメリットのバランスを考える必要があるのです。これは医学関係者だけでなく一般の人たちにも言えることです。みなさんが家を購入する時、引っ越しをする時などもそうするでしょう。

もしロックダウンのリスクをとる場合でも、そのバランスを考えねばなりません。現在は、もしかして感染するかもしれない可能性によって日常のほとんどが支配されています。しかも、ロックダウンによって起こるさまざまな病気や障害のリスクとのバランスをとることなしに行っているのです。

――あなたが自分の命や、また今までの医学的な業績や医学会での地位を危険にさらしても自

説を発信している理由を教えてください。

現在米国のドクターたちは、患者の感情的（Emotional）、身体的（Physical）、また精神的（Spiritual）な分野においてそれらを癒やす医療者（Healer）ではなく、ロボットのような機械的なテクニシャンとなってしまっています。

これはアメリカで非常にゆっくり起きた変化なのですが、１９６５年からメディケア（65歳以上の政府による医療保険）とメディケイド（低所得者向けの政府による医療保険）が開始され、本来はドクターと患者が相談して決めるべき医療のさまざまな決断を政府が決めることになってしまったのです。

アメリカでは、ほとんどのドクターたちは大きな病院で働いています。彼らは本来、ドクターと患者で決めるべき聖域とも言える独自性を失ってしまったのです。現在、大半のドクターたちは沈黙を保っているか、新型コロナの茶番を逆に推進する側に回っています。しかし、ドクターたちは実は本当のことを知っているのです。ドクターたちはわれわれの国を惨状に貶めていることに加担していると言ってもいいでしょう。

われわれが取り組むべき本当の病気はウイルスではありません。本当の病気は「われわれの働く自由」「平和的に集う自由」「宗教（教会に行く）の自由」「愛する人たちと会う自由」、それらを政治家や官僚たちによって奪われていること、そしてわれわれが自発的に「それらの自由を放棄していること」、それが本当の病気なのです。

6．集団免疫理論を提唱する京都大学大学院の上久保靖彦特定教授

米国と同様に、日本でもご自身の見解をメディアで果敢に発信されている京都大学大学院の上久保靖彦特定教授という研究者の方がおり、私は幸運にもご縁を得ることができたので、この項でご紹介したい。アニー・ブカチェック博士とは立場がまったく違うけれども、二人とも医学会ですでに常識となっているような理論に敢然と立ち向かい、ご自分たちの研究してきた理論や主張を、さまざまなメディアや講演会、公聴会などで発信されている。

私はアニー博士が繰り返し官民の公聴会で発表された三十数ページに及ぶ資料を詳しく

読み、上久保教授の英文の査読論文もアメリカの専門家と一緒に研究した。
二人ともすでに立証されているさまざまな科学的なデータを元に、できるだけ正確な判断をこの新型コロナに対して行おうとしている真摯な医療者であり、研究者であることに共通点がある。

2020年、上久保教授は、小川榮太郎氏との共著で『ここまでわかった新型コロナ』という著作を出版されている。
また、2020年12月には、50年以上コロナの研究をされてきた大阪市立大学の井上正康名誉教授が、この上久保教授の集団免疫理論は理論的にきわめて正しいとの見解を話されている。井上名誉教授は、『本当はこわくない新型コロナウイルス』という大変わかりやすく新型コロナを解説した著書を発表されている。

前項でホワイトハウスの新型コロナのアドバイザーのアトラス教授の主張を紹介したが、アトラス教授はT型細胞や集団免疫にも言及しており、上久保教授の集団免疫理論にきわめて近い。上久保教授は、「アトラス教授は、高橋教授と私の英文査読論文を読まれていた可能性が高い」と発言されていた。

この本は、アメリカで起きているさまざまな現実をカバーしているが、ホワイトハウスの新型コロナのトップアドバイザーが上久保理論ときわめて近い見解を持っているという事実を重要視して、ここで上久保教授のご紹介をさせていただいた。

上久保教授は、吉備国際大学の高橋淳教授と共同研究された集団免疫理論が、2020年春から雑誌、新聞、テレビ等のメディアで数多く取り上げられた研究者だ。アニー・ブカチェック博士同様にメディアと医学界に対して自身の研究されてきた理論を発表されているわけだが、「メディアと医学界は真実の科学（サイエンス）を追求する姿勢がない」ということも共通して指摘している。

上久保教授と高橋教授の集団免疫理論は、前述の小川榮太郎氏との共著『ここまでわかった新型コロナ』に大変わかりやすくまとめられており、ぜひご一読いただくことをお薦めする。

第6章

今後のアメリカの行方、コロナ後のトレンド、そして日本は？

バイデン新政権のもとでは、全体主義的なアメリカ社会が到来する

バイデン新政権が誕生した後の今後のアメリカは、結論から言えば「全体主義的なアメリカ社会」「政府によるさまざまな統制強化の社会」「中国と親和性を持つ社会」が到来すると私は予想している。

1．一党独裁の時代

2016年、民主党はヒラリー・クリントン元国務長官という、民主党だけでなくメディアや多くの共和党支持者でさえ最強と考える大統領候補者を出してきた。ほぼすべてのメディアと世論調査会社は、ヒラリーが負けることはあり得ないと予想していた。まさか、政治家経験のまったくないニューヨークの不動産開発業者で、テレビのリアリティーショーの司会で有名になったトランプなんていう男にチャンスがあるわけがないと民主

党、大メディア、そしてソーシャル・メディアもそう考えていた。

ところが、アメリカ国民はトランプを大統領に選んだ。まずはこの理由を考える必要があるだろう。彼はけっして好かれやすいタイプではない。むしろ、その反対だろう。反対者を批判する時の口調は激しく、彼の支持者で彼に投票した人でさえ、その口調や攻撃的な性格は嫌いだという人が私の周りにも多い。

しかし、彼に投票した多くのアメリカ人は、彼の言っているアメリカ第一主義に代表されるように、この国は今このようなリーダーが必要だと考えたのだ。すでにオバマの8年間、その前の共和党も含めたワシントンの沼に長く住んできたプロフェッショナルの政治家にはうんざりだという人が多かったのだろう。私の周りの中小企業経営者やミドルクラスの人たちの中にはそのように考えた人が多かった。

2016年、民主党とCNNやその他の主要大手メディアは、まさかこんな事態が起きるとは予想もしていなかった。こんなトランプみたいな粗野で口は悪く、品のない大統領を今後4年間も持つのは耐えられないと、就任前から民主党は、CIAなど米国情報機関と一緒にロシアゲートという捏造事件をでっち上げ、３年間にわたって議会で「ロシア、ロシア、ロシア」とトランプを攻撃し、主要メディアは大騒ぎで報道してきた。すでにこの時から、彼らの口から「弾劾」の言葉は頻繁に飛び出していた。しかし、この事件はまったくのでっち上げで、何の証拠も出てこなかったため、トランプの無実は３年経って証明された。ただ、このトランプ無実の報道はほとんど大マスコミは行っていなかった。

しかし、この２０１６年から民主党は次の２０２０年大統領選挙では、何がなんでもどんな手段を使ってでもホワイトハウスを手に入れなければならないと考えた。そこで郵便投票など、なるたけ民主党に有利になるような各州での法案をひそかにいくつも通してきた。そして、この２０２０年11月の選挙が行われた。

この本の読者の方々の中には、たぶん日本メディアではトランプの悪党イメージしかほぼ報道されていないため、それを信じていた人も多いのではないだろうか。しかし、この本で私が書いた多くの情報は、アメリカの保守系メディアや私の個人的に信頼するソースからのものだ。ただ、あくまで私の「視点」を通したアメリカの現実を伝えている。

私は2020年大統領選挙の前から、民主党がホワイトハウス、上院議会、下院議会の三つを取る「トリプルブルー」を狙うということは公言していた。しかし、11月3日の大統領選以降も、大方の保守は少なくとも上院議会は当時確保していた50席とジョージアの1席だけ取って、なんとか民主党のトリプルブルーを阻止できると考えていた。

2．民主党一党独裁を今後続けるためのバイデン民主党の政策

しかし、その最後のジョージア州決戦投票でもすでに不正投票疑惑が上がっているが、民主党両候補とも僅差で上院選を制した。これによって、カマラ・ハリス上院議員（現在）の1票を入れて民主党に多数派を取られた。

さて、民主党が政権をとり、上院議会、下院議会をおさえた後、どのような政策が実施されるかの予想はすでに広く出回っている。以下は、民主党がすでに公表しているか、も

しくは行うと予想される今後の政策だ。

①最高裁判事の数の増員（終身制の最高裁判事は9人のうち、誰かが死亡しない限り変わらない。現在は6人の保守系、3人のリベラル系。民主党系判事の増員をするためには、現在の9人ではまずいので、15人もしくはそれ以上に増やす）。

②現在ある米国50州の数を2州増やし、52州にする（現在米国の州の数に入っていないコロンビア特別区とプエルトリコの「選挙人」が増える。両方ともきわめてリベラルな地域であり、これは即民主党への「選挙人」が増えることを意味する）。

③現在の各州での「選挙人」で大統領を決定する選挙方式を、「総得票数の総数」で多く得票した者を勝者とするという案（ニューヨーク、ロスアンジェルス、シカゴなど巨大都市は人口が内陸州など農業州に比較して桁違いに多い。そしてそれらの大都市はほぼ民主党支持者が盤石である）。

④移民法の改定（バイデンはすでに現在アメリカに2000万人から2500万人いると言われている不法移

民たちに有効ビザを与えると発表している。メキシコとの間の壁も開けられて、大量の移民がアメリカに入ってくるとの予想が出ている)。もし不法移民が合法移民になると、その政策を進めた民主党の支持者になると予想される。

⑤フラッキングの禁止(石油・天然ガス採掘のための新しい水圧破砕工法。これによってアメリカはエネルギー輸出国に転じた。テキサス州やペンシルベニア州は多くの雇用をこの分野で持つ)。民主党の環境保護主義者は、石油・天然ガスの使用を減らし、グリーンニューディール政策の下、代替エネルギーへシフトすると主張。これは油田開発やエネルギー関連ほか自動車産業など関連業種を入れると数百万人から1000万人近い労働人口を削減させると言われている。

⑥銃の所持規制(アメリカ建国から守られてきた合衆国憲法修正第2条によって、アメリカ国民は自衛のための銃の保持を認められているが、バイデン民主党は銃規制をすると明言している)。

これらは民主党政権が順次行っていくだろうと予想されている政策である。

前章では、ソーシャル・メディア各社の始めた自社の意見とは相入れない意見の「検閲」を始めたと書いた。

その後、2021年1月6日に上院・下院合同会議中の議事堂への侵入事件が起こったことで、米国の政治社会情勢に急激な変化が起きた。

この日の出来事を予想できた人は多くはなかっただろう。私はリアルタイムでこの事件を見ていたのだが、衝撃的な事件だった。この日のこの事件は、今後のアメリカに長く深い傷をつけたと、後世まで残るアメリカの歴史の一コマとなるだろう。

現在、民主党は、ウォール街の国際金融資本、大メディア、大手グローバル企業、シリコンバレーの大手テックカンパニーから巨額の資金を受け、それら大資本の利益を代表する政党になっている。かつての「人民の党」ではなくなってしまった。

2020年大統領選のバイデン陣営は、選挙資金15億ドル（約1600億円）を集めた。それに対して、トランプ共和党は同じ時期6・2億ドル（約640億円）しかなく、民主党は共和党よりも3倍近い資金が集まった。その多くが巨大ウォール街金融会社、大企業、テックカンパニーからの寄付だ。

対して、トランプの共和党は、この4年間、ワーキングクラス、ミドルクラス、黒人、スパニッシュ系、アジア系などマイノリティの支持者が増える政党に変わってきた。

すでにバイデン政権は、新型コロナ対策以外にも巨額の財政を発動させることを発表している。これによって一時的に景気を押し上げることになり、現在株式市場はこの動きを先読みして、株価は上昇を続けている。


私は序章で、過去40年このバイデン政権ほど政権基盤が弱い大統領は見たことがないと書いた。バイデンは、これだけ多くの選挙不正の疑惑をマスコミと裁判所が取り上げなかったことで、それら不正はすべてなかったということで押しきって大統領に就任した人物だ。いまだ、この選挙結果に半数のアメリカ人が不正はあったのではないかと考えている。つまり、彼は「正当性のない」大統領だと認識している国民が多くいるということだ。

さらに、彼の息子のハンター・バイデンは、すでにウクライナ、ロシアさらには中国から巨額の資金を得て米国でファンド会社の役員をやっていることがわかっている。そしてそれらの外国からの金銭授受の事実は本人も認めていて、現在脱税の容疑で連邦調査官が税務調査に入っている。

これに関しては、父親のバイデンもその収入を得ていたという証言が出ている。そして、この一連の事件に対しての本格的な糾弾はこれから本格的に起きてくるだろう。民主党とメディアが否定しようとも、多くのアメリカ人がそれらの不正疑惑の事実を知っており、不信感を持っていることは否定できない。

さらに、アメリカの保守派を中心にして大統領選挙前から広く議論になっているバイデン政権に対する予測がある。これは、バイデン大統領がすでに78歳であり、選挙戦から何度も公式のスピーチやディベートの席上で簡単な相手の名前を間違えたり（ドナルド・トランプのドナルドを「ジョージ」と言い間違えた）、自分が遊説のスピーチをしている州の名前を間違えたり、その他いくつも認知症と疑われる間違いをしてきていた。彼の年齢とそれらの事実によって、バイデンは長くもたないだろうという予測である。

持っても2年くらいではないかとの予測も出ている。これは共和党サイドだけでなく、民主党サイドの情報からも出てきていた。

合衆国憲法25条では、大統領が病気などでその職務を果たせなくなった時には、閣僚の同意の基に副大統領が大統領代行に就任するということが明記されている。

民主党を後ろで操ってバイデンを大統領職につけた背後の勢力は、カマラ・ハリスを副大統領に指名した。彼女は、民主党の予備選挙でもカルフォルニア州上院議員として予備選にチャレンジしたが、最終的に支持率10％以下となり、早々と敗退した民主党の中でも弱い候補者だった。

それが、なぜ副大統領候補に選ばれたのか？

バイデンと同じくそれら背後の勢力が、彼女はその勢力が進める政策を忠実に実行するのに最適な人間であったということで選ばれたわけだ。ハリスは、左傾化を進める民主党の中でも最左派の一人と言われている。

彼女は、ジャマイカ系黒人とインド人とのバイレイシャル（二つの違う人種の両親を持つ混血）

である。すでに、民主党はこの初めての黒人の血を引く「女性副大統領」が誕生したと大騒ぎをしている。しかし、裏で大統領と副大統領を選び、資金と影響力を行使して選挙を勝たせた勢力は、すでにバイデンじたいが長くなく、早い時点でカマラ・ハリスに後を継がせる計画を持っていると見られる。

彼女はまだ56歳である。あと20年は使えると彼らは考えているのだろう。そして、この現在起きはじめた「全体主義社会」「政府が人々の生活を管理する社会」を実行する中心人物となることだろう。

3.「アメリカは中国と同じような構造になる」との予測

私は以下に二つのコラムを紹介したいのだが、「一貫して民主党支持の政治社会学者」であるジョエル・コトキン氏の、民主党の将来の政策と、その結果についての考えに残念ながら同意せざるを得ない。

以下、著名なグローバル経済、政治、社会トレンドの研究家でチャップマン大学の都市未来学プレジデンシャル・フェローであるジョエル・コトキン氏の民主党と共和党への考察が、大変鋭いものであるのでご紹介したい。

コトキン氏は、現在は新しい形の「封建主義」のような階級社会が到来していると語る。オバマ政権での勝者と敗者、トランプ政権の勝者と敗者を分析してみると、今後のバイデン政権の勝者と敗者がおのずと見えてくる。

オバマ政権では、左派のグリーンニューディールを進める環境保護者、ウォール街のエリート、シリコンバレーのテックカンパニーやその社員、高度な技能を持つプロフェッショナルや大学関係者たちを優遇する政策をとってきた。

その反対に、トランプ政権では、中小企業、マイノリティー、ワーキングクラスを優遇する政策が行われた。

過去、民主党政権下では、多くの「権力の集中」が見られた。オバマ政権でも同じである。連邦政府職員、ハイテク会社の経営者、左派の主張を代弁する管理職、すべてをブルーカラー（民主党色）に染めていく政策が、今後進められていくだろう。

そして、これらの政府主導の「全体主義」で一党独裁の管理社会では、一部のエリートのみが特権を得て、それ以外の一般民衆はそれらエリートへ奉仕する「人民」であるという位置づけとなり、これは中国共産党政府とまったく同じ構造となる。

つまり、「アメリカはより中国と同じような構造になりつつある」ということだ。

中国には、特権階級の共産党幹部がいて、アメリカでこれに匹敵する優遇措置を与えられているのが、アマゾンのジェフ・ベゾスやフェイスブックのザッカーバーグなど、テックカンパニーの経営者たちだ。封建制度の貴族階級のようなものだろう。

彼らはデジタル情報分野という1900年代初頭の石油産業に匹敵する富を掘り当てた連中だ。この新しく台頭したオリガーキーが、民主党やそれを支える各ローカルの団体や地方政界に莫大な金額を寄付してきた。

ザッカーバーグは、地方のジェンダーフリー活動や子供の教育支援団体などさまざまなリベラルな活動団体や慈善団体に、2020年だけで4億ドル（400億円超）を寄付した。しかし、これらの団体はほぼすべて民主党の支援者団体であった。このような形をとって、ザッカーバーグは目に見える民主党への寄付金と、表には出ない民主党支援の莫大な資金の提供を行ってきた。グーグルやツイッターも同じような形をとっている。この事実を知れば、フェイスブックがトランプのアカウントの永久停止を発表したのは不思議でも何でもない。

これと同じ民主党やリベラルのための活動を長く続けてきた人物に、左派グローバリストの筆頭で著名な超億万長者のジョージ・ソロスがいる。そして、これらの新しい特権階級に位置するザッカーバーグたちは、第二のジョージ・ソロスとして巨額の自己資金を使って米国の政策立案に関与してきている。

その次の特権階級は、メディア、エンターテインメント、大学などのアカデミアだろう。12世紀のヨーロッパでは、教会がキリスト教の権威を使って特権階級の一部として君臨していた。しかし、現在では例えば「グリーンニューディール」を進める人々がそれにあたる。彼らは、自分たちの「科学」に対する考えを一般の愚劣な「民衆」に指導していると勘違いしている輩だ。

そしてとくにメディアは、大衆に毎日民主党のプロパガンダを流すという「洗脳装置」としての重要な役割を担ってきた。今でも、オールドメディアのテレビや新聞しか見ないという人がアメリカでもまだ多くいる。日本でいう情報弱者と呼ばれる人たちだ。これらの人々は自分の頭で情報をネットなどで取りにいく人々ではない。情報をコントロールする側からすると、最もコントロールしやすいターゲットとなる。

（以下、コトキン氏の二つのコラム）

「**グランド・ニュー・パーティー**（巨大な党）」

（11月15日　The Grand New Party by Joel Kotkin ブログ記事引用）

トランプを失った共和党とは、強力なリーダーを失った組織である。彼は共和党をワーキングクラスとミドルクラスの党に変身させた。

トランプは激戦州でのほんのわずかな差で敗北した。

しかし、今日の民主党は過去の共和党にきわめて似てきている。つまり大金持ちのスーパーエリート、ウォール街やシリコンバレーのテックカンパニー、弁護士事務所や高度な専門家サービスの会社が中核の党になっている。

以前は、「人民の党」と呼ばれた民主党は、2008年の3倍の選挙資金を2020年に使った。これは共和党の約2倍の選挙資金だ。この4年間の重要政策を決定することになるジョージア州上院選挙には、シリコンバレーからすでに巨額の選挙資金が入っている。

2020年の大統領選挙で、民主党は2016年の白人ワーキングクラスの票を0・01%しか増やしていないが、トランプはこの層の4分の3を獲得した。また、トランプはヒスパニック系、アジア系などマイノリティで大幅な投票を確保した。

「アメリカはミドルクラスとワーキングクラスの党が必要だ」

オバマ政権では、ワーキングクラスの生活は惨憺（さんさん）たる有様だった。これはそれまでの共和党政権でも同様だった。しかし、トランプ政権ではワーキングクラスの所得は、コロナ禍が来るまでは上昇をしていた。ワーキングクラスにとっては、民主党はすでにブランドを誇れる党ではない。

ミドルクラスとワーキングクラスの人たちは、すでに既存の主要な党に魅力を感じていない。彼らには人種差別主義反対に代表される左派のロジックへの反発がある。トランプが中国に対して自由貿易を犠牲にした時、多くのコーポレート・エリートたちは反発した。しかし、彼のメッセージは１９７９年から２０１７年まで中国によって失われた３４０万人の労働者のグループに対して大きくアピールした。

CityLab 社の統計によると、トランプは、工場や配達、油田や天然ガス、修理工場、重機械運転、トラック運転手などの現場で働くワーキングクラスの人たちから絶大な支援を受けてきた。それに対して、民主党はこれらのかつての支持基盤であった人々を見捨てて、かわりに教育レベルの高いミレニアル世代、少数者グループ（マイノリティ）、グローバルにビジネスを展開するグローバルカンパニーや、そこに働くプロフェッショナルたちに支持基盤を切り替えていった。

「人種的な構成要素」

トランプは、2016年の時点では、マイノリティーからの支援は限られたものだったが、その後の政策でフロリダとテキサス在住のヒスパニック系からは2020年の選挙で支持を受けた（カリフォルニアのヒスパニックからの支持は大きくない）。しかし1960年以来、マイノリティからの支持率で言うと最高の得票を得たことになる。

この理由は簡単で、ヒスパニック系には、サービス業、建設業、ロジスティクス、製造業などブルーカラーワーカーが多いからだ。彼らはトランプ政権の政策によって、トランプ以前の統治下よりいい生活水準を得ることになった。しかし、彼らはロックダウンの影響を最もネガティブに受けた人々でもあった。

（引用終わり）

「2020年にバイデンが勝利すれば、民主党エリートは中流階級を破壊する可能性がある」

（２０２０年11月1日ブログ記事引用）

民主党が「国民の党」、共和党が「デブ猫の党」とされて久しい。今年のジョー・バイデン氏と、さらに彼の伴走者であるカマラ・ハリス氏は、企業エリート、とくにハイテク企業とそのウォール街から記録的な金額を集めている。これらの富裕な寄付者は党を支配し、メディアの多くを所有し、アメリカ人の多くがニュースを入手するソーシャル・メディアのプラットフォームを操作することができる人たちだ。

一方、共和党はマスコミで大々的に非難され、上院や地方レベルで民主党の巨額の資金に圧倒されていることに気がついた。この新しい裕福な階層はリベラルなだけではなく、多くが「国の徹底的な再構築」を支持している。

元ツイッターCEOのディック・コストロ氏のように、極端な進歩主義に傾倒している者もいて、彼は最近、このプログラムに賛同しない者は「クビにされるべきだ」と語っている。現在、CEOのジャック・ドーシー率いるツイッターは、バイデンの息子ハンターの巨額の資金が移動した海外ビジネス取引を報道したニューヨーク・ポスト紙のアカウントを停止するところまできた。

これらの民主党支持者が議会の両院だけでなく、ホワイトハウスを獲得した場合、パンデミックによって揺さぶられて、すでに低迷している中産階級にとってさらに事態が悪化し、推定10万社の中小企業が倒産する可能性がある。最近の都市部の不安定状態によってとくに最大の打撃を受けているのは都市とマイノリティ企業である。

その他の大きな勝ち組は、連邦官僚機構、学界、主流メディアのトップレベルを含むプロの管理職クラスである。これらの人々は、ほとんどの場合、自宅で、あるいは場合によっては田舎の家の安全な場所で働くことができる。一方、彼らは戦時中以外ではけっして行使されたことのないレベルの大きな権力を獲得している。

11月の大統領選で民主党が勝てば、ミドルクラスの将来は暗いものになるかもしれない。一貫した民主党員として、これを書くのは本意ではないが、グリーンニューディールのような民主党のイニシアチブのほとんどは、中間層や労働者階級の人々にとって直接的に有害なものであり、住宅価格やエネルギー価格の上昇に直面せざるを得なくなり、製造業のような産業での上昇志向の強い仕事が少なくなるだろう。

民主党の地滑り的勝利は、中小企業の経営者、とくにエネルギー、農業、製造業の経営者には壊滅的な影響を与える可能性がある。

（引用終わり）

4．いよいよ始まったソーシャル・メディアによる「検閲」と「粛清」

以下は、私が2021年1月11日に自分のフェイスブックで書いた、ソーシャル・メディアの「検閲」とその後にくる世界の予測についての記事である。

（2021年1月11日）

「巨大テック・カンパニーによる「検閲」という赤い鉄のカーテンが始まる」

ジョージ・オーウェルが全体主義の近未来を書いた「1984」の管理社会がア

メリカで始まっている。

　以前からフェイスブック、ツイッター、グーグルは、自ら支援してきた民主党に対決してきたトランプ大統領と共和党議員、保守派トランプ支持者たちのアカウントを「検閲」して、それら反対陣営の主張を「ファクトチェック」をしたと称し事実ではないとして削除してきた。

　そして、2021年1月の上院・下院合同会議では、トランプ大統領が支持者たちの暴力を煽ったと決めつけ、民主党の主張をそのまま垂れ流す主要メディアと同じ姿勢で、ついにはツイッターとフェイスブックは大統領のアカウントの永久停止を発表した。

　トランプ大統領のツイッターのフォロワー数は8800万人に上る。これはトランプが支持者へメッセージを送る手段を遮断しただけでなく、それらの人々がトランプにメッセージを送ることを止めたことになる。

　さらに今起きていることは、さまざまな共和党保守政治家や普通のトランプ支持者たちのアカウントも停止や将来的にアカウントの永久締結もあり得るという事態に陥っている。

すでに中国やかつてのソビエト連邦では常習化されてきた、メディアの検閲。今回は、ソーシャル・メディアによる検閲が始まっている。

「ソーシャル・メディア会社による独占禁止法違反の談合が始まった」

すでに、シリコンバレーの大手テックカンパニーは、寡占体制を確立している。そこには競争の原理もなく、競争相手もいないため、ユーザーの意見への検閲など自由に行っている。

それらの動きに対して、ホワイトハウス国家通商会議ディレクターのピーター・ナヴァロ氏が、以下のように今回の動きを分析している。

（以下、スティーブ・バノン氏の番組から抜粋）

「ソーシャル・メディア数社の寡占体制」

＊　ツイッターはショート・メッセージ市場の独占体制

＊　フェイスブックは「ソーシャル・ネットワーク」の独占体制

* グーグルはビデオ・プラットフォームとサーチエンジンの独占体制

ザッカーバーグ（FB）、ドーシー（twitter）、ピチャイ（Google）は、人々に対して徐々にプレッシャーを上げていくことを「暗黙の内に共謀」し実行している。

* これは、「プラットフォーム停止（De-Platforming）」という反独占禁止法への直接的な攻撃だ

* 間接的な攻撃は、Parler（パーラー）に対して行われたアマゾン、アップルによるParlerのアプリのダウンロード停止だ。同時にアマゾンによって行われたParlerのプラットフォーム提供停止は直接的な攻撃だ。（誰もParlerを見ることもできなくなった）

（上記のParlerは、ツイッターのように政治的主張をベースにしてその主張を削除したりアカウントの凍結をすることをせず、暴力的なものやポルノのような不適切なコンテンツ以外は自由に投稿できることを自社のルールとして開始したプラットフォーム会社。トランプ大統領がこれからはParlerを使おうと支持者に呼びかけて、あっという間に多くのParlerアカウントを持つ保守層の人が増えたという事情がある）

これらの中でも、最後のParlerのプラットフォーム停止は、合衆国憲法第1条の「言論の自由」への重大な侵害に当たる。現在、共産国や独裁政権の中国やイランで、人民に外部の情報を遮断するファイヤーウォールと同じ統制を敷き始めている。

トランプ大統領は7500万人の投票を得た大統領で、それら企業が独自の判断でそのコミュニケーションの手段を奪うという暴挙に出ている。この地位にある人のコミュニケーションを奪うということは、国家安全保障上の深刻なダメージともいえる。

そしてこのトランプ大統領のツイッター・アカウントの永久停止に関して、人権団体をはじめ、さまざまなところから批判が起きてきた。最も早くこのツイッターの行為に批判をしたのが、ドイツのメルケル首相であった。ロイターがこの記事を配信している。

以下、私のフェイスブックでさらにこの記事を載せているので紹介したい。

（2021年1月11日）

メルケル独首相は、東ドイツの出身だ。かつてのソ連衛星国だった厳しい共産主義の「言論統制」と、ヒットラーの「言論の自由」への弾圧も骨身にしみてよく知っているドイツ人という二重の意味で、いかにこの問題が深刻かをよく知っているということだろう。

［ベルリン　11日　ロイター］――（2021年1月11日　ロイター配信記事）

ドイツ政府のザイベルト報道官は11日、米ツイッターがトランプ米大統領のアカウントを永久停止したことについて、メルケル首相が懸念していると明らかにし、民間企業が言論の自由の制限を決定するべきではないとの考えを示した。

ツイッターは8日、「最近の投稿内容を精査した結果、さらに暴力をあおるリスクがあると判断した」として、トランプ大統領のアカウントを永久停止したと発表した。

ザイベルト報道官は定例記者会見で「言論の自由は基本的な重要事項だ。これを踏まえ、メルケル首相はトランプ氏のアカウントが永久停止されたことを問題視している」と述べた。

ただ、ツイッターがこれまでにトランプ氏の投稿が不適切と判断した際に警告を表示してきたことは適切な対応だったとの考えを示した。

ドイツではナチス・ドイツ政権が言論の自由抑圧などを権力掌握の手段の一つとして利用した歴史的背景などを踏まえ、言論の自由の保護は繊細な問題と受け止められる傾向がある。

このトランプ大統領のツイッターのアカウント永久停止の発表直後、ツイッター社株価が急落した。

（以下は私のフェイスブックより引用）

「ツイッター株価、トランプ大統領アカウント凍結発表後、株価12％急落！」

1月11日、ツイッターは、トランプ大統領と他の保守派のアカウントを停止した後、月曜日同社株価は12％急落した。

ツイッター株は、先週の＄51・48から月曜日＄45・17まで急落。

ツイッターは、トランプ大統領のいくつかの投稿が暴力を煽るものだとして金曜日にアカウントの凍結を発表した。同社は議事堂に侵入した暴徒をトランプが煽ったという批判に答えてこの行動をとった。

トランプ大統領は「民主党と過激左派はプラットフォームから私のアカウントを削除した。私だけでなく、私に投票した偉大な愛国者7500万人の声を封じた」と語った。

ツイッターは同じくシドニー・パウエル弁護士とマイケル・フリン前国家安全保障アドバイザーのアカウントも凍結した。

ツイッターの代わりにパーラー（Parler）が推奨されていたが、アマゾンがそのウェブサービスを停止したことで、アクセスできなくなっている。Parlerはアマゾンを訴訟している。

ツイッターのもう一つの競争会社のGabの使用者数は急激に伸びている。

5. 今後のアメリカの対中政策は？

今後のバイデン政権の中国政策は、今までのトランプ政権のように通商政策で高関税をかけるというプレッシャーをかけながら交渉するという政策はとることはできないだろう。どんどんと中国寄りの政策に舵を切っていくことが考えられる。一気に対中関税を引き下げるという政策はさすがに取りづらいだろうが、一応強気の対中政策のポーズをとりながら、中身は中国に対して骨抜きのいくらでも抜け穴のある対中政策をとっていくと考えられる。

2020年12月、すでにバイデン勝利の選挙結果が出ている中で、ドイツ大使をつとめたこともある前米国国家情報長官代行のリチャード・グレネル氏がトランプ政権で、対中政策の一部と、今後のバイデン民主党政権での対中政策への危惧を表明しているのでご紹介したい。

①アメリカの対中政策の今後

（2020年12月21日　シカゴ時間午後2時50分アップデート）

大統領選後、各州で訴訟を続けているトランプ大統領弁護団の動きが報道されている。しかし、ここ数週間明らかに以前より顕著に報道されているニュースがある。それは「対中国への警戒報道」だ。

中国女スパイによって籠絡されたカリフォルニア州議員エリック・スウォーウェルやハンター・バイデンの中国金銭疑惑はほぼ毎日保守系ニュースで報道されている。

日曜日のFox Newsの〝Life, Liberty, Levin〟の著名な法学者でもある司会者レビン氏は、「もし、この中共政府によって買収されたバイデンが大統領になった時はいったいどうなるのか？　まさしく最悪の男が最悪のタイミングで大統領に就任することになる」と語った。

この日の番組では、前米国国家情報長官代行を務めていたリチャード・グレネル氏がゲストだった。彼は、前ドイツ大使も務めた外交、諜報分野のエキスパートだ。

現在は12月18日までに、外国政府の選挙干渉疑惑の調査結果を発表することになっていたジョン・ラトクリフ長官がグレネル氏の後任をつとめている。

そのグレネル氏に対して、レビン氏が中国に対しての現在までの米国における活動と今後の対応を質問しており、きわめて重要な話をしているので紹介する。

グレネル氏は「中国に対して弱腰ではけっしてうまく対応できない。強力にプレッシャーをかけ続ける必要がある。過去の民主党の対中政策はきわめて疑問だ。彼らはロシアが脅威だと言い続けながら、中国に対しては大きな問題はないという態度だった。ソビエトは確かに敵国だったが、中国とは比較にならない。中国はわれわれの大学を買収し、ハリウッドやバスケットボールのようなスポーツ、ビジネスや企業にも深く浸透し影響力を強めている」。

「間違いなく、米国は中国に対して『大きな岐路（Crossroad）』に立っている」

20年前にＷＴＯに入ることを認めた西欧諸国は、中国が最初の約束を違えて欺瞞を語っている間に、巨額の利益を、Ｇ7をはじめとする西欧諸国から持っていったと考えている。

②アメリカの現在最も重要な対中政策

その中でもアメリカの中国に対する最も重要な政策はトランプ大統領のとってきた「エネルギーの独立政策」だ。

この政策は、民主党の長年の政策と真っ向から反対だが、中国と相対する時きわめて戦略的に重要となる。

重要な事実は、トランプ政権になって米国は「エネルギー輸出国」に転じることができたことだ。われわれはアジア諸国に天然ガスを輸出できる。無論中国にも輸出できる。これはいつでもその輸出をやめることができるということだ。

現在、米国から天然ガスを運ぶタンカーは西海岸からアジアへの航路を取るのがベストの選択だが、これら西海岸に並ぶ州知事たちはほぼすべて民主党知事でこのトランスポーター（輸出基地）を拒否している始末だ。

現在、メキシコのバハカリフォルニアまで行って天然ガスの輸出を行っているが、きわめて非効率だ。西海岸のトランスポーターを確保しなくてはならない。

これによって、中国を追い込むことができる。そして、アメリカに雇用を戻すことができ、さらにサプライチェーンを中国から戻すことができるようになる。

ヨーロッパも、この重大な中国の脅威に気づき始めている。

アメリカの前インテリジェンス部門トップとして知るかぎり、アメリカ人が理解している以上に中国のアメリカ国内における工作活動は活発化している。詳しく話すことはできないが、とくに地方レベルでの政治家、州知事、市長や大学などにすでに深く工作員が浸透している。それらは個別に米諜報部門で調査が継続されている。

彼らは一度それらの政治家の弱みを握った後は、それを利用し、最大限に脅しを使って彼らの目的のためにそれら政治家をコントロールしている。

6. コロナ禍で起きたトレンドは今後も続いていくのか?

この項では、まだ新型コロナの最中、現在アメリカで起こっているいくつかの大きな動き、それらが今後のトレンドになっていくのかはまだわからないのだが、今後の方向性になると考えられるトレンドをいくつか紹介してみたい。

①大都市圏からの脱出（エクソダス）が始まった。すでにニューヨーク、ロンドン、パリなどから富裕層、ミドルクラスを中心に大都市圏脱出の動きが起きている。これは大都市のコロナのリスクからの回避行動で、中小の地方都市への分散が起きている。それが大規模になるのかどうか。テレワーク、リモートワークが多くの企業で起きていて、それらの企業も社員も自宅勤務を継続したいという傾向が強い。

これは今後大都市に住む必要がなくなるということを意味する。テレワークであれば、沖縄でも青森でもいいわけだ。実際に日本でも、東京都の人口動態調査で、転出者が転入者を上回るという現象が起きている。

②アフターコロナ時代は自宅でできる仕事、一つの企業に頼った生き方から、兼業や副業が普通となり、さまざまな新しい形の職種が生まれてくるのではないか。すでに以前からいろいろとネットを活用したギグエコノミーやユーチューバーなどという新業態が出始めている。

今後はテレワーク、デジタル・トランスフォーメーション、ブロックチェーンなどと組み合って、さらに進展した新たなビジネスも誕生してくると予想している。これらの新しいビジネス・トレンドに関していくつものアメリカの事例があるのだが、また別の機会に紹介したい。

③このコロナはわれわれの日頃の健康状態や衛生状態を真剣に考えることを要求した。つまり医者の言うことだけでなく、自分自身でより積極的にコロナにかからない身体、罹患しても重症化しない身体を持つようにつとめることの重要性を誰もが知ったのではないか。コロナに限らずホーリスティックに免疫力を高め、さまざまな病気にならない体を持つということは、今以上に重要になるだろう。これは、治療薬やワクチンの他に、人々が長く民間で伝承してきたさまざまな漢方や西洋の薬草、ホメオパシー、また最新の栄養学に裏付けされたビタミン、ミネラルなどのサプリメントなどの市場が、今後ますます伸びていくということが予想される。

④アメリカでは、2020年コロナ禍の最中、学校、大学ではオンライン授業のみ、もしくはオンライン授業と実際の授業のハイブリッド形式の二つの方式が取られてい

る。オンラインだけで今後の授業が行われるとすると、多くの大学が高い学費を維持できなくなり、閉鎖していくという意見が出始めている。そして学歴に対しても、今までのような価値がなくなってくるとの予想も出ている。

以上は、私が考えている今後のアフターコロナのトレンドの一部だが、このような動きが今後はさらに加速されてくると見ている。ここでは、大都市からの脱出トレンドと、小売業の新しいトレンドに焦点を当てて今後の動きの指標となるものがあるかを考察したい。

①大都市圏からの脱出（エクソダス）

コロナ以前をBefore CoronaでBC時代、コロナ以後をAfter CoronaでAC時代と2020年3月に名付けた。AC時代には大きく世の中の仕組みが変わっていくだろうと考えている。そのトレンドの一つが大都市圏からの脱出だ。

2020年のコロナ禍でロックダウンが開始した前後からニューヨークやシカゴなどでは、富裕層中心に首都圏から脱出して離れた場所にある自身の別荘などへの移動が起きた

（日本でも緊急事態宣言直後に軽井沢への移動があった）。

これは大都会のコロナのリスクや不便な生活を回避するためだが、現在もその傾向は続いており、首都圏から周辺の郊外に、またさらに遠くの中小地方都市へと離脱する動きが出始めている。また、同様の動きがミドルクラスでも出始めている。それが中長期的また大規模になるのかどうかは、まだわからない。

理由の一つには、コロナ禍によってテレワーク、リモートワークが多くの企業で起きていて、それらの企業と社員は今後も自宅勤務を継続したいという傾向が強い。これはニューヨークやロンドンに限らず、東京でもすでに高い家賃の中心街商業用ビルから、少し離れた地域の低家賃のビルへ本社を移転する企業が出始めている。また、それにともない顧客対応用の小規模スペースは首都圏に置き、バックオフィスは首都圏以外に置く企業も出始めた。

テレワークで十分に仕事ができると知った企業は、社員に在宅ワークを推進する。しばらくは週に2～3日ほどオフィスに行き残りは在宅ワークという形が大企業や中小企業も含めて進んでいる。

テレワークの今後について以下のような米リサーチがある。

調査会社大手ガートナー社によると、34％の企業は在宅勤務を継続し、社員は今後もオフィスには戻らない。74％の金融関連社員は今後永久的にリモートワークを継続する。Global Workplace Analytics によると、コロナ禍終了後もすべての社員の30％は少なくとも週に数日は自宅で働くことになるという。

コロナ禍を契機に、首都圏からの移動が加速化する理由は次のようなものが考えられる。

1．コロナによる三密からの回避
2．テレワークの進展で都市部にいる必要がない
3．住宅価格、家賃等、生活費が安い地方都市の魅力増
4．テレワークの加速で大都会で仕事が無くなってくる、大都市の魅力の半減
5．地方の魅力である自然、人間らしい暮らしなどが見直されてくる

とくに企業社会に不可欠のミーティングに関しても、何時間も会議室に同じ面子が集

まって時間を費やすということが、Zoom、Slack、Microsoft Teams、Google Meetなど集団会議テクノロジーの機能が大幅にアップしたことで必要なくなってくる。今まではテクノロジーが苦手という年配アナログ世代がそれらを阻んでいたケースも多いが、今やそれらテクノロジーを活用しての業務推進が不可欠になってきたことが大きい。

② 大都市からの大脱出 2（グレート・エクソダス）

2020年3月中旬、新型コロナの波がニューヨークを襲い、ニューヨークは瞬く前に感染爆発し、新型コロナのエピセンターとなってしまった。そして、ニューヨーク州知事アンドリュー・クオモは毎日テレビに出演し、コロナの感染者数を発表して、その対策をニューヨーク州民に訴えていた。

そしてロックダウンがもうすぐ敷かれるだろうということを漏らした。しかし、彼のこのロックダウン開始報道の前、すでにそれよりも早い段階でこのロックダウンの話を掴んでいたニューヨークの富裕層は、いち早く脱出を始めていた。これは後ほど統計でもわかった事実である。

以下、ニューヨークからの脱出の詳細を私の綴ったフェイスブック記事から引用したい。

（2020年7月17日）

アメリカでは真っ先にエピセンターとなったニューヨークで、富裕層は、近くは夏の避暑地のハンプトン、ニューヨーク北部、コネチカット州、更にはマイアミなど、別荘を持つ地域へと脱出した。最近になってニューヨーク・タイムズ紙やウォール・ストリート・ジャーナル紙がそれら3、4、5月の移動数や住宅販売数の詳細を発表している。

日本と違って、アメリカは郵便番号によってそこに住む人の所得がある程度分かる。例えばニューヨークのアッパーウェストサイド（ジョン・レノンのダコタハウスのある地域）やアッパーイーストサイドは数億から数十億円単位のコンドミニアムやコアプが並ぶエリアだ。

米国郵便公社は、どの地域の郵便番号の住民が郵便の転送願いをどの地域に出しているかという記録を公表している。これによってニューヨーク市では、ロックダウンが始まった3月と4月を合わせて137000人が郵便の転送願いを出していたことがわかった。これは家族を入れて数十万人が脱出していたことを示している。短期間で戻ってきた人もいるだろうが、郵便転送願いをするからには数週間の転居で行うとは考えにくい。

同じ都市圏の中でも、人口密度の高い地域と人口密度の低い地域では住宅販売数なども郵便番号で統計が出ている。

5月から6月にかけて、昨年同期比で人口密度の低い地域の住宅購入は、密度の高い地域に比較して約2倍の伸びを見せた。

ロスアンジェルス地域では、購入金額では人口密度の低い地域で36%上昇し、密度の高い地域は6%減少。

ニューヨークでは、最も密集していない地域で35%増加、最も密集している地域で1%減少。

同じく各都市で見ると、ミネアポリス（+49%、−14%）、シアトル（+26%、−8%）、サンフランシスコ（+26%、−1%）、シカゴ（+26%、−10%）、ワシントンD.C.（+39%、−13%）。

ただ、変動が少なかった大都市ではマイアミ、オーランド、アトランタ、ダラスがあるが、これは偶然か、もしくは暴力的デモが上記の大都市より少なかったためかはまだわからないという。（ウォール・ストリート・ジャーナル紙、ニューヨークタイムズ紙参照）

（ウォール・ストリート・ジャーナル紙、ニューヨーク・タイムズ紙参照）WSJ.COM— 作成：WSJ OPINION Opinion The New Urban Flight: “Riots and the pandemic are driving another exodus from big cities.”

③ 2020年春のニューヨークのロックダウンでどう変化したか？
コロナのロックダウンでニューヨーク不動産市況はどう変化したか？

（私のフェイスブックより）

コロナのエピセンターとなったニューヨークの不動産事情をレポートしたい。長くマンハッタンで商業用不動産の販売と賃貸をやっている友人からは悲惨な状況が聞けた。この3月から全米でも一番厳しいロックダウン状態で誰も家から出ることができず、契約など決まる以前の話だという。

彼の優良顧客は35丁目のコリアタウンに大型物件を持っているが、退去が相次ぎ、持ち室数100室のうち、20部屋が空き部屋になっているという。この界隈はニューヨークでも、レストラン、カラオケ、店舗が集積しているため、人気が高く通常は空き部屋が4～5室程度だという。

以下、ニューヨーク不動産市況の現状を紹介したい。

ニューヨークのような大都市では、早々に富裕層は郊外の別荘などへ避難しているが、大多数のブルーカラーや低所得のホワイトカラー、またエッセンシャルワーカー（病院勤務者、警察官、消防士など）は、職場に近い地域に住む必要がある。また一度大都市圏から逃避した人たちは今後三密の大都市圏には戻ってこないと考えられる。

大勢の人の自宅でのテレワーク、リモートワーク、ホームオフィスが進展している現在、今後の不動産に与える影響とトレンドの記事があり、紹介したい。

1. バーチャルツアー

ウェブ上でのバーチャル動画での物件紹介は、コロナ以前から盛んになっていたが、今回のコロナはその動きにさらに拍車をかけた。なにしろ実際に物件を見に行くことができないわけだから。

2. 今まではマンションの魅力的なポイントだと言われていた、共有のフィットネスジム、ガーデン、バーベキュースペース、屋上のデッキスペースなどは、他の人たちとの接触が多くなることが嫌われるため物件価値を下げる要素となる。

3．高層マンションでは不可欠のエレベーターも三密の代表格なので、今後はペントハウスや高層階が人気ということもなくなる可能性がある。その人専用のエレベーターなどが完備している物件は例外であるが。

4．大都市圏から脱出する人々はニューヨークの場合、さらに遠い西部地域を選ぶ傾向が出ている。仕事場に毎日行くという労働環境が変化してきており、例えばオフィスに行くにしても1週間に1日、数日というような頻度になると、何も大都市近くに住んで毎日ラッシュアワーに巻き込まれる必要はない。

5．住宅所有から賃貸への流れ。これだけ一気に不確実性の時代に突入したわけだが、ニューヨークでも住宅の購入から「賃貸」を選ぶ人が急増している。

以下、この大都市からの脱出に関して興味深い統計がある。

（2020年7月13日）

アメリカ人へ「このコロナ禍によってニューヨークのような大都会から永久に脱出したいと考えているか」との質問に対して、「非常にそのように考えている12％」、「そのように考えている30％」、「そのようには考えていない34％」、「まったくそのように考えていない10％」、「わからない14％」。

つまり、「42％の人は脱出したいと考えている」という統計が出た。（有権者1200名に対し、Just the News Daily Poll の統計）

https://justthenews.com/.../coronavirus-exodus-42-americans-e...

④ジム・リッカード氏の記事から

2016年にトランプ大統領当選を予測して当てたジム・リッカード氏の記事は、いつも大変興味深く強く賛同することが多いので、この項では「アメリカの大都会大脱出」の記事を引用する。

（2020年8月23日　ジム・リッカード氏のブログより）

私は、米国経済の半永久的な変化について話したいと思います。これを私は「Great American Exodus（アメリカ大脱出）と名付けました。大都市からの大規模な移住です。現在、何百万人ものアメリカ人が、都市から郊外や地方都市、また田舎町へと逃げています。

都市は経済活動の中心地であり、GDPに大きく貢献しているため、経済にとっては大きな問題です。

この大規模な移動は以下の三つの理由によります。

1．1つ目は単純な人口統計から言えるのです。人々は人口統計で巨大な数を持つベビーブーマー（日本で言う団塊の世代に相当）の子供世代である、これまた巨大な人口を持つミレニアル世代の最高齢は、あと2年で40歳になる。つまり、彼らはもう子供ではない。彼らは多くの場合、仕事や家族を持ち、多くの義務を背負った大人なのです。

現在、彼らの多くは都市に住んでいますが、都市は若い時期に住むには興味深い場所であり、仕事や娯楽の機会を提供しています。しかし、20代、30代の頃は都会を楽しんでいたかもしれませんが、ある年齢になったら郊外に引っ越す時期だというのがアメリカでは自然な傾向です。

2. 二番目の理由は、新型コロナのパンデミックです。ニューヨークを見てください。あきらかに米国でのパンデミックの震源地で、米国のコロナウイルス死亡者の3分の1はニューヨーク市とその周辺で発生した非常に密集した地域でした。人口密度が高く、密集したアパートやオフィスに住み、混雑した公共交通機関に乗り、コンサートやブロードウェイのショーに行くなど、まるでシャーレの中で生活しているようなものだと、人々は実感しています。

3. アメリカ人を都市から追い出す第三の要因は、暴動です。暴動の被害を過小評価してはいけません。誰もがそれぞれの意見を持っていいし、平和的な抗議であれば、それは私たちの憲法上の権利であり支持されるべきものです。しかし、誰も店を略奪したり、放火をしたりする権利はない。

しかし、それはアメリカの大都市の多くで起きていることです。ミネアポリスでは多くの暴動がありましたが、それ以外のニューヨーク、ロサンゼルス、シカゴ、フィラデルフィア、アトランタ、セントルイス、デンバー、ポートランド、オレゴンなど多くの都市でも同様の被害がありました。

犯罪率はすでにニューヨークで急増しています。そして重要なのは、ニューヨーク市警の警察官の暴動以来の退職願は、すでに４００％の増加を見ています。

都市は常に、望むライフスタイルを得るために高い代償を払う価値がある場所だった。高い税金、騒音、混雑した状況、そして多くの犯罪がありました。しかし、多くの人はこれらのコストや不便をすべて我慢して、非常に活気のある文化的、知的な環境、面白い仕事、面白い人々、博物館、お洒落なレストラン、映画館、ライブショー、ニューヨークの場合はブロードウェイなどを楽しんできました。

しかし今では、多くの人にとって高い代償に見合うだけの価値があるとは思えません。文化的な楽しみがなくなり、美術館やレストランも閉まり、映画館は閉鎖されています。

そして犯罪だけは増加しています。高い犯罪率に怯え、危険と隣り合わせの生活、そして以前はたくさんあった大都市の美点が無くなってしまいました。それが、大都会から人々が去っていく理由です。

「テレワーク、リモートワーク」

この人口動態の変化、新型コロナのパンデミック、そして暴動を組み合わせると、1930年代以来見られなかった、大きく世代交代した巨大な人口の大脱出が起こります。

経済的な影響を過小評価することはできません。人口、経済、雇用、研究開発の80%以上が都市に集中しています。では、誰が都市を離れていくのでしょうか？

それは脱出するという選択肢を実行できる人たちです。彼らは、才能のある人たちで、お金のある人たちで、エネルギーを持った人たちです。都市に最も必要としているのはこのような人たちですが、彼らはまた脱出を実行できる人たちなのです。今後もこのトレンドは続くでしょう。これは2世代か3世代に一度しか起こらないことです。それに匹敵するものについては、恐らくは、1940年代後半から1950年代前半のベビーブームに遡る必要があるでしょう。

しかし、経済の中でうまくいっている業界があります。それは、郊外や地方都市で家を見つけるのが難しくなっているための不動産事業です。現在、人々は物件を見なくとも、住宅を入札することさえあります。あなたが投資対象を探しているなら、郊外の不動産や住宅に注目するべきかもしれません。

（リッカード氏記事終了）

⑤大都市からの脱出トレンド　ヨーロッパ編

「大都市からの脱出（Exodus）第2弾」

（8月6日　フェイスブックより）

以前の私のFB記事で、米国のとくに大都市ニューヨークからの脱出トレンドを取り上げた。今回は主にヨーロッパの大都市の脱出トレンドを見てみたい。

このトレンドが続くかどうかの鍵となるのは、今後もコロナ禍の影響は続くのか、第2波、第3波は来るのかだ。しかし、第2波が来る来ないにかかわらず、メディアの恐怖を煽るセンセーショナリズムによって、人々の行動様式は大きく変化したし今後も継続していく可能性が高い。以下紹介する記事は、コロナ以前よりあったリモートワークがコロナによって一気に加速化したことで、大都市からの離脱が大きなトレンドになると予想する。

BY AITOR HERNÁNDEZ-MORALES, KALINA OROSCHAKOFF

(Politico より引用)

(Politico "The Death of the cities"〈都市の死〉 2020年8月3日より抜粋)

在宅勤務の専門家であるスタンフォード大学のエコノミスト、ニコラス・ブルームは、誰もが自宅で無期限に働くことを期待するのは非現実的だが、人口の50%から60%はそれを維持できると述べている。

1．労働人口の3分の1（オフィスワーカー、上級管理職）は、100％在宅勤務ができる。

2．労働人口の3分の1（衣料デザイナー、不動産業者、科学研究者等）はほとんどの場合在宅勤務ができるが、時には現場にいる必要がある。

3．残りの3分の1はまったくそれを行うことができない（低賃金のサービスセクターの労働者、歯科医、外科医、パイロット等）。

今後これらの新しい行動パターンが持続するかどうかは、大勢のオフィスワーカーが早くオフィスに戻れるかどうかによる。

ブルームは、治療法やワクチンが開発されたとしても、オフィスワーカーがコロナ以前のようにオフィスに戻りたいと希望する可能性は低いと語る。

「かつて私たちの最も重要な不動産であった都市中心部の高層ビルやオフィスビルは、人々が感染への恐れから、忌むべき場所に変わってしまった。満員の地下鉄や密集したエレベーターで快適な人は誰もいない」。

BNPパリバ・リアルエステートは先月、ヨーロッパの商業用不動産への投資は、3月中旬から5月末までの間にヨーロッパ全体で平均44％減少し、とくにアイルランドでは、商業用不動産取引が79％減少したとレポートした。

この傾向は今後も続く可能性が高いとの見方から、ツイッターやグーグルなどのテクノロジー企業は、従業員がリモートで作業を継続する計画を発表しており、ドイツのIfo Instituteが実施した新しい調査では、54％の企業が在宅勤務（ホームオフィス）の活用を望んでいると発表している。

フェイスブックのCEO、ザッカーバーグは、今後10年間で会社の労働力の半分が自宅で働くと予想しており、より安価な地域に移動した従業員は、生活費を反映して給与が減額されると見ていると語った。

エセックス大学の経済学講師のミシェル・セラフィネッリは、オフィススペースの価値は低下すると予想し、「なぜ毎週数日、数人のオフィスワーカーだけしか使用できない大きなオフィスを維持する必要があるのですか?」と語る。

2018年のユーロスタットのデータによると、EU人口の44・8%は都市に、36%は近郊都市部や郊外などのいわゆる中間地域に、そして19・2%は農村地域に住んでいる。

コロナウイルスの危機は、「デジタル技術の発達で、都市に代わる地域の可能性があることを示した」とドイツ北西部連邦兼ヨーロッパ問題地域大臣のビルギット・オネは語る。例えば、新興企業や個人起業家が田舎へ移動するためのインセンティブを考え出し、「農村地域を改善する機会」が開かれ、「人々が都市と異なった生活体験をしている」と彼女は付け加える。

エコノミストのセラフィネッリによれば、ヨーロッパの「人口」が地方都市や農村地域に再分配されると、それほど裕福ではない地方や過疎地が大きく変化する可能性があるという。

「過疎地でも、仕事に十分なブロードバンド接続と、月に数回首都に行く列車があれば、地方都市、過疎地への移動が起き、雇用でも多くの相乗効果が起きるでしょう」と語る。

「これらのかつての都市部に住んでいた住人は、仕事帰りの飲み物を手に入れていた地元のバリスタを促し、建築家に地方の家のリフォームを依頼し、地方で起業を行うように呼びかけており、この動きは今後地方で多くの仕事を生み出す可能性があります」。

ヨーロッパには昔から、黒死病（ペスト）など伝染病の流行時に、豊かな都市居住者は貧しい人々と労働者階級を残して、田舎に逃げるという伝統がある。ボッカッチョの14世紀のランドマーク的作品「デカメロン」では、裕福なフィレンツェ人がトスカーナの田園地帯に脱出し、黒死病からの害を避けたと記述がある。

新型コロナウイルスの危機の最中、スペインやフランスの都市のエリートたちは、より緑の多い、より安全な牧草地へ移動し、街を去った。スペインの元首相ホセ・マリア・アスナールは、ロックダウン時マドリード市に留まるのではなく、マルベーリャの別荘に移動した。

コロナウイルスのさらなる波のあるなしにかかわらず、在宅勤務が増加し続ける場合、丘の家から同様に魅力的なキャリアを追求できるのに、なぜ狭い大都市のアパートに高い家賃を払うのか、ということだ雇用主から見ると、リモートワークで地方に住む人材を採用することで、都市部に住む同じ能力の人材より安価に調達できるなら、なぜ大都市の給与を支払う必要があるのかということになる。

「より多くの空きスペースが増え、都市部の不動産価格はほぼ確実に安くなるでしょう」とブルームは語る。企業はすでに、多くの空室が出始めた都市中心部のビジネスエリアに及ぼすさまざまな悪影響に苦しんでいる。また、それら企業やオフィスワーカーに依存するショップ、レストラン、その他のサービスは、このパンデミックの影響からすでに都市から退出を始めている。

「オフィスが都市から出ていくことで、エグゼクティブが昼食に出かけるレストラン、秘書がカプチーノを頼むカフェ、または休憩時間に買い物をするショップなどが消えていく。それによって、大都市の経済の3分の1が消滅すると予想される」とブルームは語った。「それはほとんどの商業スペースは生き残ることができないということを意味します」。

（記事引用終わり）

7. 一部の大学は、もう再開できないかもしれない

（2020年6月27日　フェイスブックより）

（ビジネスインサイダーより引用）

コロナによりアメリカのほとんどの学校は、3月から新学期の9月まではオンライン授業か休学で6月からの長い夏休みに入った。将来オンライン授業が定着すると、大学は高い学費を維持することができなくなり、閉校も増えるとニューヨーク大学の教授が予想。

2019年9月、青森銀行「ニューヨーク視察ツアー」一行をニューヨークで案内した。今、アメリカで最も高い学費を取るコロンビア大学キャンパスを訪問し、年間6万ドル（700万円）の学費に皆さん驚いた。しかし、その後もっと驚いたのは、たまたま新学期で同大学MBAの入学式があり、そのほとんどがアジア系だったこと。私が学生に声をかけて、どこの国から来たのかと聞くと、中国がほとんどと

のことだった。
白人生徒は10％以下だった。これが、アメリカを代表するトップクラスの大学のMBAの実情である。トランプ大統領や議会が、中国によるソフトパワー、ハードパワーへの危機感を強める現状がこんなところにも現れていた。これら大学院生には、かなり米国民の税金による補助もある。

（記事抜粋）

ニューヨーク大学のギャロウェイ氏は大学にかかる費用の高騰や若い世代の負債が増えていることに触れ、「大学関係者は自らを公僕ではなく、高級ブランドと見なしている」と指摘する。
「だが、それもここまでだ。キャンパス体験なしのZoomでの授業に年間の学費の6万8000ドル（七百万円）どころか、1万8000ドル（約193万円）の価値もないと人々は認識している」とギャロウェイ氏は付け加えた。

8. アフターコロナの新しい「小売業」のトレンドとは?

ここでは新型コロナ感染が現在進行中のニューヨークやパリのような大都市での小売業の大きな変化のトレンドを見てみよう。長く米国の小売ビジネスの専門家であるダグ・スティーブンスは小売業の未来学者であり、『小売のリエンジニアリング』の著者でもある。アフターコロナの都市部での、小売業の未来のトレンドを示している記事を紹介したい。

(BY DOUG STEPHENS 2020年6月10日 The Business of Fashion 記事より抜粋)

大都市圏からの大脱出が「小売業」を変える(現在進行中の「どこでも仕事場革命」がデジタル以後の社会で、小売業とショッピングを変革する)。

「私たちは小売業を中心に生活をしているのではありませんが、小売業は私たちの生活を中心にして成り立っているのです」

フェイスブックなどテクノロジー企業は、「好きな場所に住み、好きな場所で働くこと」

を奨励している。

テクノロジー企業以外にも、食品メーカーのモンデリーズやバークレイズ銀行などはすでに多くの社員を在宅勤務のみにして、恒久的にオフィスを閉めるということを発表している。

最近の調査では、米国企業の26％はワーキングスペースを大幅に縮小しているため、現在、積極的に不動産投資を削減しようとしていることがわかってきた。これは商業用不動産の危機を意味する。

ニューヨークでは、毎日１００万人以上の人がマンハッタンに押し寄せ、何千もの小売店、レストラン、バー、デリが、オフィスワーカーに依存しているが、それらの人たちの多くが在宅勤務になって、マンハッタンに通勤しなくなることはそのままマンハッタンの店の閉鎖を意味する。

在宅勤務革命によって都市は完全に姿を変え、その過程でこれらの都市の小売業の風景は完全に変化するだろう。２００８年の金融危機以降、米国の雇用創出の70％以上が、一握りの都市で行われていることを考えると、この都市の反転がもたらす経済的な影響は恐ろしいものになるだろう。

サンフランシスコのベイエリア（超高額家賃地区）では、83万人以上のテクノロジー・ワーカーがいる。ベイエリアの平均的なテクノロジー・ワーカーは、ニューヨーク市の金融部門で働くワーカーより平均で56％高い収入を得ている。調査によると、サンフランシスコのベイエリアでは、テクノロジー・ワーカー1人がサービス部門の5人の雇用を支えている。つまり、その影響は、25万人近くのテクノロジー・ワーカーが移動することで、100万人以上のサービス部門の雇用が失われることを意味している。

「次世代の小売業」

小売の産業時代からデジタル時代に突入していく中で、生き残るブランドは、店舗をそこでの販売の拠点としてよりも、商品を手に取り体験を提供することで、消費者の心を動かし、そこで新たな顧客を獲得することに変わってきています。

（引用終わり）

スティーブンス氏は、これからの小売店は、自らのブランド商品の体験を提供する場として店舗を活用し、販売をメインとせず、その後ネットでの購入から宅配まで結びつける——というビジネスモデルを提唱している。これも今後ますます主流になる「デジタル＆アナログ」モデルだと考えられる。

9. 今後の日米関係の行方

私はすでにこのアメリカに来て三十数年たった。すでに人生の半分以上をこの国で暮らしている。第二の故郷と言ってもいい。しかし、いつも気になるのは日本のことである。政治、経済、人々の暮らし、コロナ禍での緊急事態宣言など、いつもどのように日本政府が対応しているのかが気になっている。

菅新政権のコロナ対策への国民の不満も伝わってきている。

しかし、バイデン政権と今後の日本政府がどのように外交、貿易、経済、尖閣諸島をはじめとする国家安全保障問題に対して連携を取れるのかが気になるところである。

この本では何度か述べているが、バイデン政権とは、オバマ政権のゴースト政権のようなものだと考えている。オバマも背後にいたオバマ大統領を誕生させた勢力によって最後まで操られていた人間だ。

バイデンが大統領になった構図とまったく同じである。オバマ元大統領について書いた第4章でも触れたが、それら背後にいて巨額の資金を提供し、アメリカのパワーの中枢にいる勢力は、グローバリストあるいはディープステート、影の政府とも言われている。とくにディープステートや影の政府というと、何かすぐ陰謀論に結びつける人がまだ多いようだが、私はアメリカや世界にすでに組み込まれた「システム」だと考えている。これは、すでにアメリカの政界、経済界、マスコミや米国連邦官僚機構に長くシステムとして組み込まれてきた勢力であり、いつも一枚岩で行動するわけではない。

しかし、2016年にこの勢力とはまったく反対の立場から、彼らの意向を意に介さないトランプという一人の人物が出てきたことで、彼らの目論見はすべて一度頓挫してしまったと私は見ている。そして、彼らは再び膨大な資金を投じて、2016年から着々とトランプを追い落とすために準備を重ねてきていた。そして、それらの勢力に対決姿勢を崩さなかったのが、トランプである。

このグローバリスト勢力は、過去そして現在は中国共産党政府の影がダブってきているという見方が、ここ最近アメリカでもかなり増えてきた。とくに今回の不法選挙に関して地方議員、連邦上院、下院議員の中からも中国と深くつながりを持っている政治家が取り沙汰されてきた。その多くが民主党議員である。

これらの動きは、ますます今後続いていくのではないかと見ている。

アメリカは、現在二つの戦いに直面しているという見方がある。

一つはアメリカ内部の敵、そしてもう一つは外部の敵。アメリカ内部の敵に関してはこの章の中でも触れたが、過激な主張でアメリカの憲法や民主主義を否定し、この国を全体主義の方向へ持っていこうとしている左派勢力だ。

そして、外部の敵は、ロシアやイランもあるが、最大の脅威は中国共産党政府だ。

すでに、政治、軍事、経済、サイバーと、アメリカが長く世界第一のパワーを維持していたパックス・アメリカーナの時代から、間違いなく中国政府は世界の覇権を手に入れるところまできたと考えているだろう。

このたびのアメリカの政治と社会の大混乱と分断を一番喜んでいるのが、中国共産党と習近平であるのは間違いない。そして、今回の一連の「アメリカの分断」の動きを裏で画策してきたという意見に私も同意している。

はたして、アメリカの対中政策はどのようになるのか？

これもそれほど難しい問いではない。オバマ政権の対中政策を見れば、だいたい予想できる。「戦略的忍耐」。これが、オバマ政権のとった弱腰の対中外交であった。その間、中国は相変わらずアメリカはじめ、世界に自らのルールを押し付け、巨額の貿易黒字をアメリカから持ち去っていった。しかし、これはウォール街や大企業、大手テック会社の利益に沿ったものである。

米国の対中関係がよかったクリントン、オバマ政権では、その間、日本に対して中国はいつも不当な要求をし、尖閣諸島についても傲慢な態度を続けていた。ここ4年ほど、トランプ大統領の厳しい対中政策の時期にも歩み寄ってきていたことは周知の事実だろう。しかし、今回中国政府から莫大なカネをもらっていた息子ハンターを持つバイデンという大統領が生まれた。中国政府は、お得意の孫子の兵法「戦わずして勝つ」を、このアメリカで何十年と各地にある「孔子学院」をはじめ地方政府、大学、メディア、ハリウッド等エンターテインメントにも深く浸透して、その影響力を蓄えてきていた。

今回、アメリカのグローバリスト勢力と、この中国政府との利害が一致した。それはトランプ打倒である。

さて、このバイデン新政権は当面表面では、中国に対して厳しい態度をとる形を取らざるを得ないだろう。これは民主党、共和党議会ともに反中政策に関しては同意しているからだ。しかし、すでにこれらの勢力によってバイデン政権の閣僚に起用され名前が挙がっている人々は、オバマ政権時代の次官やその下のクラスの若手だった人物で、忠実なこれらグローバリストの配下の言うことを聞く人間たちである。

前述のように、今まで中国は対米関係が良好な時は、日本をはじめ、周りのアジア諸国に高圧的な態度で臨んできたという過去がある。そして、対米関係が悪くなると、日本や近隣諸国に対して猫なで声で手のひらを返したようにすり寄ってくる。今までのパターンを見れば明白だろう。

今後のバイデン政権は、今までのトランプ政権のすべて反対をやるということを明言している。つまりアメリカ・ファーストではなく、国連やＷＴＯのような国際機関との連携を再び強め、グローバリスト勢力が望む政策をとっていくことになるだろう。

世界経済フォーラムで２０２１年1月に行われるダボス会議のテーマとして「グレート・リセット」が発表された。バイデン民主党はこれらダボス会議のメンバーである大企業や大手金融資本、中央銀行とのネットワークと一体となる方向へ向け、今後さまざまな動きが加速していくだろう。

すでにバイデン政権は巨大なバラマキ予算を発表している。そして間違いなくミドルクラスや中小企業の税負担は増えてくる。われわれはオバマ政権で、それがどのように起きたかをよく知っている。

そして、それはアメリカのトランプ政権で所得や税制で恩恵を受けてきたミドルクラス、ワーキングクラス、マイノリティや中小企業にとって厳しいことになるだろう。

また、上記のように、この新政権が日本の対米関係や対中関係にプラスに働くという保証はない。

しばらく、厳しい冬の時代が到来することになるだろう。

番外編

私とアメリカとの関わりと、日米交流活動

1. 私のＤＮＡの中にアメリカがあった

この本の最後の番外編として、私のアメリカとの関わりの端緒はすでに祖父の時代からあったということに触れたいと思う。

１９８０年の渡米以来、すでに40年が経過した。

私が渡米した目的は第2章でも語ったが、一つはシカゴの三浦美幸師範の道場での空手の稽古と、もう一つは大学でジャーナリズムを勉強して、将来はアメリカでジャーナリストになりたいという大きな夢だった。

シカゴの三浦師範の道場では大勢の生徒と一緒に稽古し、指導する機会を与えられたことで、私がアメリカ人を理解する上で大きな助けとなった。

Karate Dojo には、白人、黒人、アジア系、ビジネスマン、医師、警官、軍人、主婦、子供、そしてイタリア系、ポーランド系、ユダヤ系、中国系、ベトナム系、ヒスパニック系、ロシア系など多くのマイノリティたちが稽古に来る。

大成功した金持ちや、高度な技術を持つ脳外科医から、生活保護をもらっている人までさまざまだ。生活保護の人に月謝は大丈夫かと聞くと、「毎月政府がくれる金で支払えるから大丈夫だ」と堂々と言うのには驚いた。その中で、私は通常の企業にいただけでは、とうてい出会うことのない人々との貴重な多くの出会いを得ることができた。何より幸運だったのは、彼らとは指導員や道場の仲間として同じ目線で、共通の言語である〝Karate〟を通して、体でコミュニケートすることができた。これは私にとって最大の宝だと考えている。

シカゴではほとんど毎日が稽古と指導の日々だったが、大学ではジャーナリズムを専攻し、もともと興味のあったアメリカのジャーナリズムを学ぶことができた。

ただ、最後の「アメリカでジャーナリストになる」という夢だけは叶えることができなかった。この夢は大学のジャーナリズム科に入学してすぐあきらめざるを得なかった。当時の授業は、5センチもあろうかという分厚いニューヨーク・タイムズ紙日曜版の政治、論説部分を15分で読んで15分で要約しろというようなもので、私のような高校の英語の成績が自慢できるほど超低空飛行の人間には歯が立たなかった。アメリカ人の中でも読み書きが抜群という連中の中に入っての競争なわけで、無謀といえば無謀な話だった。

その後は、米国野村證券という会社で米国株トレーダーを務めたが、ここで得られた多くのウォール街の優秀な人間たちとの人脈は、現在も事業をする上で多くの助けになっている。後輩には、現役でヘッジファンド・マネージャーをコンサルタントしている人間など優秀な人間も多い。

ただ、この本の最後で触れてみたいのは、私がライフワークとして行っている日米交流活動のあらましである。ここ20年ほど本業の事業が安定していることもあり、いくつもの日米文化交流のプロジェクトに関わってきた。私の米国NPO法人で主催するものもあれば、米国や日本の法人とのジョイントでの企画なども多い。

現在までも長く続いているものに、シカゴ市と青森市との間で18年続いているシカゴ・ブルースという音楽を通した両市の文化交流事業がある。

これは、「ジャパン・ブルース・フェスティバル」というイベントで、青森商工会議所青年部と私が20年前に企画して始まった。私が毎年シカゴ市からトップクラスのブルースミュージシャンを青森へ招聘(しょうへい)しているのだが、主催の青森商工会議所青年部の尽力で、今では全国から1万人を超える人々が集まるイベントに成長した。当初は寂れていく青森市中心街を再生させる目的で開始したのだが、シカゴ市と青森市の長い支援もあり、見事にプロジェクトが開花した。

それ以外にもこの20年でいくつもの日米間でのプロジェクトを行ってきたので、それらをのちほど紹介したいと思う。

これらの日米交流のプロジェクトはいくつかの偶然が重なって始めたのだが、最近になって自分の中に流れている血のDNAにもよるのかも知れないということに気づき、驚いた。

①祖父、山中利一のアメリカとの関わり

DNAとは、山中利一という一度も会ったことのない祖父に由来する。祖父の利一は、

私の父親の達一が12歳の時に42歳の若さで早世している。この祖父のことは父から小さい頃に断片的にしか聞いていなかったのだが、父の体調がすぐれなくなってきた晩年の10年くらいの間、来日のたびにいろいろ話を聞くことが増えた。

祖父は、青森県津軽の嘉瀬村（現五所川原市）という小さな村で生を受けた。小さい時からガキ大将だったようだ。

青森県師範学校を中退し、東京に出て早稲田大学政治経済学部に入学した。同郷で金木明治校と早稲田大学に同期で進学した津島文治氏（太宰治の兄で後の青森県知事）とは、兄弟同様の付き合いだった。

早稲田大学進学後は、相撲部に入りキャプテンになった。また偉丈夫であったことで、ラグビー部にも引っ張られ、二つの部でキャプテンをつとめ、体育会の会長をしていた。

利一は、１９２０年（大正9年）まだ早稲田大学の在学中、当時は無名の寿々木米若（すずきよねわか）という浪曲師を連れて、アメリカの西海岸に日系の移民を訪ねて、慰問公演を行ったのである。若い二人はお金もないため、貨物船に乗っての渡米であった。

当時、ロスアンジェルス、サンフランシスコ、シアトルといった大きな街には、すでに日本人が多数移民していた。ただ、現在とは違い娯楽もない時代で、日本の浪曲師が浪曲を披露してくれるというのは大変な話題になったようだ。

故郷日本の慰安に飢えていた貧しい日本人や日系移民の人たちは、若い彼らを大歓迎して、大勢の観客が集まったという。後年、寿々木米若のお孫さんが「早稲田の学生の山中さんという人がアメリカに連れて行ってくれて、思いがけないくらいのご祝儀が集まって、そのお金で二人はヨーロッパ旅行までできたんですよ」と私に語ってくれた。

その後、寿々木米若は、「佐渡へ〜、佐渡へ〜」の佐渡情話で一時代を築く浪曲師となった。

早稲田大学卒業後は、南カリフォルニア大学へ入学し、数年間留学することになる。早大時代にカリフォルニア各地域を慰問で回ったことで、それら各地の日系移民社会の顔役たちと繋がりができていたようで、それもあってロスアンジェルスの南加大へ進んだようだ。

大学時代から、相撲、ラグビーという格闘技系のスポーツが性に合っていた利一は、早大を卒業する前後から、当時の国士の巨頭であり玄洋社総裁であった頭山満（とうやまみつる）の書生となった。利一は、頭山満翁の信頼を得て、北一輝、大川周明、岩田富美夫、内田良平、小泉又次郎（小泉元首相の祖父）といった当時の思想家、国士、政治家との交流を深めていった。

後に、五・一五事件や二・二六事件の導火線になったと言われた、宇垣一成陸相を担いでのクーデター未遂事件「三月事件」にも、当時師事していた大川周明たちと参画していた。熱い時代の熱い男であったのは間違いない。

また、カリフォルニア滞在時代に一番興味を持ったものがまだ日本では新しかったボクシング（当時は拳闘）であった。もともと相撲やラグビーをやっていたこともあり、利一はこのボクシングをいたく気に入った。

帰国後の1932年（昭和7年）、日米拳闘倶楽部を東京の京橋に創設し、会長に就任した。ボクシングジムなどあまりない時代で、日本拳闘連盟の理事にも就任している。この時の目標は、日本人のボクサーを本場アメリカで修行させて、日本でボクシング熱を広めたいという大きな夢であった。

そのために、当時すでに最大手であった帝拳で自分の倶楽部の選手をトレーニングさせ、米国へ連れて行ってデビューさせていた。当時のオリンピック派遣選手の臼田金太郎や青森出身の熊谷二郎選手などが日米拳闘倶楽部に在籍しており、これら強豪を米国に連れて行って修行を積ませていた。

この日米拳闘倶楽部の顧問には、頭山満や小泉又次郎逓信(ていしん)大臣などの名前がある。

②幻の東京オリンピックの招致活動へ

1936年、東京の杉並区阿佐谷に居を構えていた利一は、杉並区議会議員に立候補した。東京はその4年後の1940年、後に「幻の東京オリンピック」と呼ばれるオリンピック開催地として確定していた。このオリンピックは、日中戦争の影響で中止となる。

この時期、杉並区がオリンピック村の候補地として挙げられていた。杉並へのオリンピック村誘致のために、早大出身のスポーツマンで米国留学の経験があり、政治家とも繋がりの深い人間ということで、オリンピック招致活動にも関わっていた利一が杉並区議会議員に立候補することになった。

早稲田大学のラグビー部長だった経済学博士の林癸未夫氏など学会やスポーツ界からも推薦があった。推薦人の一人、頭山満翁の推薦文には「国のために働く男だからよろしくお願ひします」とある。しかし、この初めての選挙は辛くも落選した。

③青森県初のボクシング国際興行

利一は、故郷の青森でこのボクシングという新しくエキサイティングなスポーツを、ぜひ青森県人に堪能してもらいたいという悲願があった。

１９３４年（昭和９年）、青森県の東奥日報紙の一万五千部発行記念として、後に青森県知事となる竹内俊吉事業部長（当時）とともに、青森県初の国際ボクシング興行を、青森市と弘前市で開催した。青森県出身の熊谷二郎と網野松雄の両選手がフィリピンの強豪選手を相手に好試合を展開した。


このように祖父の利一は、若い時からアメリカに渡り、当時の日本の娯楽の王者であった浪曲の若手の寿々木米若を連れて、米日系移民の慰問興行を行っていた。たぶん、当時としてもユニークなアイディアであったと思う。

また、ボクシングというまだ若いスポーツを日本で広め、日本のボクサーをアメリカに連れて行ってデビューさせるということを行っていた。東京でも日比谷公会堂や日比谷公園などで国際試合の興行を行っていた。


私がこの事実を知ったのは、この10年くらいのことだ。私自身がさまざまな日米の文化交流活動を始めたのはそれよりさらに10年以上前のことで、祖父のやってきた日米交流活動のことを知らず行っていたのである。

どこかで自分の中のＤＮＡが導いたのだろうか。

④ジャーナリズムへの興味は、祖父、父からの遺伝子

私の父は山中達一といって青森放送局という青森のテレビ局で、報道記者からキャリアを開始して、初期の頃の夕方のテレビ番組「ニュースレーダー」のニュースキャスターを務めた。父は立教大学を卒業したのだが、在学時代に「放送研究会」を仲間たちと創立している。後輩には、みのもんた氏、徳光和夫氏、古舘伊知郎氏などがいる。父の趣味は読

書で歴史物や戦記物、冒険小説からミステリまで数千冊の蔵書を持っていた読書家だった。

また、祖父利一も北一輝や大川周明たち当時の国士、右翼という人たちとの交流から「大化会」という右翼結社に属し、機関紙の「やまと新聞」の記者をやり、副社長をつとめた。

私の遺伝子に、報道をすることや物事をジャーナリスティックに見るという習性が備わっていたのかもしれない。

2. この三十数年、アメリカ社会に大きなインパクトを与えた三つの事件とは？

本書で私は2020年のアメリカのエポックメイキングな三つの事件として、とてつもないスピードで世界中に伝染した新型コロナ、二番目には内戦状態に入った抗議デモや暴動、三番目には大統領選挙を挙げた。

さらに、ここでは、米国滞在歴三十数年の中から、現在に至るアメリカ社会やアメリカ人のライフスタイルへ大きな影響を与えた三つの大きな出来事をあげてみたい。

これらの大事件の詳細を語るのが目的ではない。それぞれ詳細な検証がなされているので、私がどのように事件と関わったかという個人的な体験を語ろうと思う。

①１９８７年10月　ブラックマンデー（株価大暴落）

ウォール街でも１９２９年の大暴落に次ぐと言われている株価大暴落の時、私はニューヨーク野村證券の米国株トレーダーとしてトレーディングルームにいた。すでに前週金曜日から１５０ドル以上もＮＹダウが値下がりし、トレーダーは誰もが何か不吉な予感を抱えながら月曜日の朝を迎えていた。取引が始まる前から、先物が大幅に急落していて、その値崩れ幅が大き過ぎてトレーダーたちが皆うろたえていたのを覚えている。

その後、ニューヨーク証券取引所が開いてからほとんどのダウ銘柄の値が付かない。売り手オンリーで買い手がいないため、値が付かない時間が約1時間以上続いたろうか。この暗黒の月曜日は当日５０８ポイント（22・6％）暴落した。また、下げ幅だけでなくその間にトレーディングされた取引株数があまりにも巨大であったため、コンピューターと通信システムが滞り、1時間以上も初値が付くことができないという事態になったのである。

このブラックマンデーはその後、さまざまな検証がなされ、ファンダメンタルな理由を除けば、以前から導入が進んでいたプログラム・トレーディングという、すべてコンピューターによってプログラムされた高速トレーディングマシンが一因であるとも言われた。

これはある一定の下げ幅を超えると、システムが自動的に大量の売り注文を出すという人間の手を離れたシステムである。売り注文が、一度にこれほど重なる状態は、アナログ時代には考えられない。想像を絶する高速スピードで大量の注文が処理されるため、一気に大暴落につながったのである。

ウォール街も以前は現物の株と先物くらいの取引だったが、80年代からは先物やオプションを組み合わせた複雑なシステムによるトレーディング手法がいくつも編み出されていて、それらのコンピューター・プログラム・トレーディングもこの大暴落に拍車をかけたと言われた。

香港から発生してニューヨークで一気に大暴落し、その後、世界の株式市場が大混乱に陥ったわけだが、ニューヨークは、金融街の景気がそのまま街全体の景気にダイクトに影響を与えるという、他の都市とは違った特徴がある。そのため多くの小売店、レストランやバーなどが続々と閉店し始め、それらの金融以外のニューヨークのビジネスにも多大な影響を与えた。

②2001年9月11日　米国同時多発テロ

2001年9月11日、世界貿易センターが、テロリストにハイジャックされた2機の航空機が直撃し、2棟とも崩壊した。私はすでに退職していたが、米国野村證券本社ビルから目と鼻の先に世界貿易センターはあった。

世界貿易センターの最上階には〝Window of the World〟という高級レストランがあり、われわれ若手社員は、日本本社から来る部課長研修や野村證券の顧客企業の研修後のディナー接待などによく駆り出され、毎月数回は通ったものである。当時は、センター周辺にはわりと庶民的なレストランも多く、センター真向かいにあった寿司バーなどにもよく一杯飲みに行っていた。
　また、この世界貿易センターには当時30行ほど日本の地方銀行が駐在員事務所を構えていた。そこから出向してニューヨーク野村證券でトレーニーとして研修されている方々も多く、私はトレーダーの他に彼らの研修調整なども任されていた。したがって、この世界貿易センターの中には知り合いの地銀の方々が大勢いた。

　米国人であれば、当時すでに物心がつく年齢の人は誰でもこの日、自分が何をしていたかは覚えているはずである。日本人はわからないが、少なくとも私が知っているアメリカ人は、みんな、この日自分がどこで何をしていたかをきわめて鮮明に思い出すことができる。これは日本の２０１１年３月11日の東日本大震災と比較するとよく理解できるのではないだろうか。アメリカ人にとってはそれくらいインパクトのある出来事であった。

　私はたまたま日本への出張で、その日の夜は遅くまで親しい友人たちと、よく行く割烹居酒屋にいて杯を交わしていた。その時、店のテレビが、世界貿易センター１棟目のビルに最初の飛行機が激突、黒煙がもうもうと出ている画面を映し出した。正直、私は何が起きたのか理解できなかった。他のチャンネルでもすべて同じ映像が中継されていたので、これは現実だということだけはわかったのだが、数十分経った後も映画か何かとしか思えなかった。

その後すぐに2機目の飛行機がもう1棟に激突した。その瞬間にこれは「テロ」であると直感した。そばにいた友人によれば、私は「これは戦争だ」と叫んでいたという。それくらいのインパクトを持っていたわけである。この世界貿易センタービルの地下には地下鉄駅があって、当時私が住んでいた対岸のニュージャージーのコンドミニアムからの通勤路でもあった。

この時以来、アメリカ社会は大きく変わってしまったと言えるだろう。これは1987年のブラックマンデーと比較するとわかるのであるが、ブラックマンデーはあくまで株価大暴落という金融市場を中心とした大事件で、1920年代のウォール街大暴落から世界大恐慌へと発展した事件や、この同時多発テロと比較すると一般社会への影響は軽微であったと言える。

しかし、この9・11事件は、まるで違ったスケールでその後のアメリカ国民の生活そのものも変えてしまったと言えるだろう。ブッシュ大統領は、主犯と目されたアルカイダとビンラディンを標的とし、その後その一味を匿っているとされたアフガニスタンへの空爆やイラク侵攻という戦争も実際に開始された。

これ以降、米国はこれらテロリストとテロ支援国と目されたアラブの国々との戦争状態に入った。そして、どこに行くにしても厳重な持ち物検査をされ、空港での厳しい身体検査などはその後も長く続いている。この事件まではどんなところでも入り口で持ち物や身体検査をするということはなかったのであるが、この日を境に安全のためには多少の不便はしょうがないと、ほとんどのアメリカ人はそれらの不自由を受け入れることになった。

そしてそれは現在でもずっと続いている。今でこそ高層ビルや公共の建物の出入りでの持ち物検査は少なくなっているが、それでも野球場に入るのにも厳重な持ち物検査がまだ続いている状態だ。米国市民は自分たちの自由を失い、保安と安全という理由で政府が個人の行動を規制するという大きな代償を払うことになってしまったのである。

③ ２００８年　リーマンショック

この事件は比較的まだ新しいので、よく記憶されている方も多いのではないか。

不動産、住宅市場のバブル現象が起きていたことが大きな要因で、１９８６年くらいから続いた日本のいわゆる不動産、株式市場バブルを想起していただければわかりやすいだろう。構造的に若干違うが、両方とも不動産と株式バブルが弾けたという意味では類似する。

アメリカの場合は、この事件の数年前から、大量のマネーが市中に出回っており、不動産を購入したいと言えば、いとも簡単に銀行や不動産投資会社から資金調達して不動産が購入できたのである。私の会社にも毎日のように金を貸すから借りてくれという案内がさまざまな金融機関から来ていた。当時、会社としても個人としても何かこのバブルな動きに不信を覚えていて、私は手を出さなかった。

ただ、友人の中には不動産を購入し、その最初の１軒を担保にして金融機関から借り入れて、また別の物件を買うという不動産ビジネスに手を出す人たちが何人も出た。

私の住むシカゴは不動産の値上がり幅はそれほどでもなかったのだが、カリフォルニアやラスベガス近辺は急激に値が上がり、購入した不動産が翌年には倍近くになったなどという話がそこらじゅうに出てきた。こうなると不動産のプロではない普通の人まで、不動産ビジネスを副業とするケースが大幅に増えた。

連日のテレビコマーシャルから郵便物等による宣伝広告で、大きな不動産投資セミナーなるものがそこらじゅうで開催され、大勢の人たちが集まる。その参加者は、ほとんど資本金をかけないで「数か月でこれだけの値上がり益を得ました」などと言って、毎日のようにテレビに出てくるのである。私などはどう見てもこれがそのまま続くとは考えられず、傍観者だったが、そのバブルがリーマンショックとしてはじけたわけである。この事件も今では詳細に分析されているので、ここでは説明を割愛したい。

3．私の国際交流活動の事例

この二十数年ほど、時間の余裕もできてきたこともあり、多くの国際交流活動を行っている。シカゴでＮＰＯの国際交流法人を立ち上げ、さまざまな活動に取り組んできた。ミュージシャン、アーティスト、ビジネスマンや若者などの交流活動を継続している。

若い頃、単身でアメリカに渡り、数多くのアメリカ人に助けられて、小さいながらも会社をいくつか経営して、その後継者を育てている。そのアメリカと日本社会へ何か恩返しができないかとボランティアで行っている。

とくにこの20年近くは、故郷である青森市の青森商工会議所青年部の米国訪問ツアーなどをアメリカサイドでサポートしている。

また毎年、日本からやって来る業界関係者を案内して、イベントや企業での研修などを頻繁に行ってきた。


私が関わったそれらの活動は多く、全部は紹介できないが、いくつか紹介したい。この交流を話すことじたい、アメリカの「現実」がわかるいい機会でもあると思うからである。

①ジャパン・ブルース・フェスティバル（ＪＢＦ）

２００１年９月11日に起きたニューヨーク同時多発テロ。その翌年２００２年９月11日、青森商工会議所青年部のメンバーが慰問のためニューヨークを訪れた。その際、私が住むシカゴ市の市庁舎を訪問したことから交流が始まった。当時シカゴで20年続いていたシカゴ市主催の世界最大のシカゴ・ブルース・フェスティバルを、このメンバーが幾度も訪問し、研究して始めたイベントが青森市のジャパン・ブルース・フェスティバルである。

当時の青森商工会議所青年部会長の奈良秀則さん（現青森観光コンベンション協会会長）たちが、さびれつつある青森市中心部の商店街の再活性化をなんとか試みたいと計画したプロジェクトにシカゴ市も応援してくれて、毎年シカゴのブルースミュージシャンを推薦してくれている。

シカゴはブルースの本場であり、ビートルズのメンバーが師匠と仰ぐバディ・ガイをはじめ、大勢の素晴らしいブルースミュージシャンを出しているブルースシティである。

前述した祖父利一が浪曲師の寿々木米若を連れてカリフォルニアを慰問公演して80年ほど経ってから、私は毎年シカゴのトップブルースミュージシャンを青森市のジャパン・ブルース・フェスティバルに連れてきている。また、毎年30万人が集う世界最大のブルースフェスティバルの「シカゴ・ブルース・フェスティバル」で津軽三味線奏者をデビューさせたことも、祖父からのＤＮＡがあったとしか考えられない。

以下は青森地域社会研究所刊行『月刊れぢおん』誌の２０２０年新年号に私が寄稿した原稿である。その中にシカゴブルースとの関わり、私がこの本で述べているいくつかの内容も２０２０年1月の段階で書いている。そのまま紹介したい。

「ブルースが繋ぐ青森市とシカゴ市の国際交流」

山中　泉（シカゴ市在住）

「両市のブルース交流」

7月の安潟みなとまつり会期中に開催されるジャパンブルースフェスティバルは、毎年シカゴ市からブルースミュージシャンを招き、昨年で17年目を迎えました。18年前、同フェス主催の青森商工会議所青年部が、中心街活性化のため淡谷のり子さんの名前を活用して何かできないかと思案した際、同青年部と親交がありシカゴ在住の私が発した、「ブルースと言えばシカゴが本場」という一言から同プロジェクトは始動しました。普段聴けないシカゴの一流ミュージシャンの生演奏を、安潟の海辺でビールを飲みながら無料で聴けるこの取り組みは、今では日本全国から10000人の人々が集まるイベントに成長しました。

昨年7月には、長年にわたるシカゴブルースの日本での普及貢献が認められ、青森商工会議所青年部と両市の橋渡しを務める私が、ライトフット・シカゴ市長から、同市の市長室で顕彰を受けました。有難いことです。

また、9月に行われた青森銀行の青本会ツアーがシカゴ、ニューヨークを訪問された際、私がご案内しましたが、偶然、昨年の同フェスで青森に招待したミュージシャンのノラ・ジーンさんが、シカゴのブルースクラブに出演しており一行を大歓迎してくれました。成田晋頭取も初めて聴くシカゴブルースに「魂を揺さぶられた」と時事通信の記者に感想を語っておられました。

この両都市の音楽交流は、もともと2002年に実施した青森商工会議所青年部の「青年の翼」一行が、前年9・11のニューヨーク同時多発テロの慰問を目的として訪米した際、シカゴ市も訪問したことで一気に具体化していきました。

ニューヨークでは、16名程の青森経済人ツアーメンバーの前に当時のニューヨーク商工会議所会頭キャサリン・ワイルドさんが講演にお出でくださいました。私のニューヨーク野村證券時代の人脈をフル活用して講演依頼を取り付けましたが、当日実際に来て頂いた時には感動しました。それが翌年青森市で開催された日本商工会議所女性会全国大会での同女史の講演につながりました。今ワイルドさんは、ニューヨーク連銀で民間人では唯一人の理事を務めています。

「山中の国際交流事例」

早いもので米国に居を移してから三十数年になりますが、ライフワークとして日米交流を続けています。津軽三味線演奏者のシカゴブルースフェスでの演奏、殺陣師グループのケネディセンターへの招聘や、アメリカの子供達と青森キッズ達の国際交流キャンプを、十和田湖畔で行ったことも楽しい思い出です。

また、2016年オリンピック最終4候補都市に残ったシカゴ市オリンピック招致委員会に日本人として一人だけ招致活動に関われたことも良い経験でした。最近知ったことですが、五所川原市金木町嘉瀬出身の祖父利一も、早稲田大学を卒業後、さまざまな日米交流に関わっていたようです。当時祖父の自宅があった杉並区が、昭和15年の幻の東京オリンピックの選手村候補地になったこともあり、利一が杉並区区会議員選挙に出馬し、東京オリンピックの招致委員だったことを知った時は驚きでした。隔世遺伝なのか、どこかで自分も同じようなことをしていたわけです。

「米国の政治状況」

アメリカで長く会社を経営し、年に数度日米の往復をしていますが、トランプ大統領誕生の頃からアメリカについての日本の報道には、実際に米国で生活しビジネスをしている者として大きなギャップを感じています。トランプは選挙前の公約を着々と実行しています。当選前からの反トランプの大手メディアやグローバリストと日々激しい闘いを続けていて一歩も引くことはありません。私が所属している地元の商工会議所などでも中小企業オーナーたちのほとんどはトランプ支持です。日本の識者や専門家と称する人の「トランプ支持者は低所得者の白人層」だとの論調などを聞くと、アメリカの現実を全くご存知ないと感じます。

日本の大手メディアは、カリフォルニアやニューヨークでしか取材していないことも多く、この両沿岸部は極端な民主党リベラルの牙城です。それ以外の、「アメリカのハートランド」と言われるシカゴを中心とする中西部や、沿岸部以外の地域では人種の壁を超えてトランプ支持者が多くなっています。日本のメディアの情報だけに頼っていては世界の情勢を見誤るというのが私の持論ですが、これなどは典型的な事例だと思います。

シカゴの商工会議所や業界団体の集いなどで、中小企業経営者たちともよく話をしますが、オバマの8年間は日本での報道と違い、ミドルクラスと中小企業経営者たちには税制、オバマケア等健康保険の改悪などで実に悪評でした。われわれの負担額も大幅に上がるなど、戦後最悪の大統領という人もいるほどです。

「米国での事業」

青森高校卒業後、イリノイ大学を卒業し、ニューヨーク野村證券で米国株トレーダーを務めた後、独立して米国人パートナーとマーケティング会社を立上げました。当時NY野村證券でお隣のデスクで勤務していた北尾吉孝さんは、現在日本でSBIホールディングス社長として活躍されています。

当社では日本の優良な会社やブランドの米国での立ち上げ支援、欧米の優良ブランドの日本での立ち上げ支援事業を続けています。現在は新潟県の優秀な技術を持つ会社が、当社の支援によりアメリカで順調に業績を伸ばしています。

最近、父が他界しましたが、いつも口癖のように言っていた「何か青森のためになることをやれ」という遺言が耳に残っています。青森とシカゴの間のブルース交流を長く続けているのもその一つです。ただ、今まで関東や新潟の会社の米国での立上げ支援は行ってきましたが、まだ青森の会社の米国での立上げ支援はありません。今後は、世界や米国でブランディング、製品を販売していきたいという、元気のいい青森の会社を支援したいものだと考えています。

②ニューヨーク商工会議所会頭、キャサリン・ワイルドさん日本招聘

20年以上前から故郷の青森市に戻るたびに、青森商工会議所青年部メンバーたちと青森市中心街活性化の相談をしていた。その中で２００２年９月11日に前年惨事に見舞われたニューヨーク市へお線香を持って慰問に行こうという計画が持ち上がり、青年部中心メンバーから、シカゴ在住でニューヨークにも80年代から住んでいた私にすべてのアレンジの依頼がきた。

それまでも日米の文化交流活動を続けていたわけだが、この時は私のニューヨーク野村證券時代の人脈を駆使していくつものアレンジを取り付けた。

２００２年９月11日のグラウンドゼロは小雨の降る寒い日だったが、大勢の家族を失ったアメリカ人がグラウンドゼロの大きな穴の周りの金網に貼り付けられた写真の前で祈りを捧げていた。その中で、青森からの15人の経済ミッション一行がお線香を上げ、犠牲者の冥福を祈った。

このミッションでは、私は当時ニューヨーク観光協会会長であった米国レストランの格付け会社、ザガット・サーベイの創業会長のティム・ザガット氏（アメリカではミシュランが使われていない代わりにザガット・サーベイ〈Zagat Survey〉が使われている）や、ニューヨーク市開発局の幹部、著名なニューヨーク在住のジャーナリストの内田忠男さんなどをアレンジできた。

講演当日、ザガットさんが驚きの発表をしてくれた。もし時間があればニューヨーク商工会議所会頭（当時）のキャサリン・ワイルドさんがお出でになれるかもしれないとのことだった。われわれはほとんど無理だろうと期待してはいなかった。まさかNY商工会議所会頭が、わずか15人ほどの日本の経済ミッションのために来てくれるわけがないと。しかし当日彼女は現れてくれ、1時間の講演を行ってくれた。一同の興奮がいかほどかの説明は無用だろう。

開口一番、彼女は、「2001年9月11日以降すべての日本からの経済ミッションはキャンセルされました。その中で皆さんは初めての日本からの経済関係者です。私はその事実に感動して今日ここに来ました」と語ってくれた。

ワイルドさんは9・11事件の後、ニューヨーク市経済界の代表として、ニューヨーク市行政、米国政府と三者間でセキュリティ、復興資金の配分等を話し合い、米国議会の公聴会でたびたび提言。惨禍を受けたニューヨーク市のために獅子奮迅の活躍をした人である。また、当時ニューヨーク州上院議員を務めていたヒラリー・クリントンとも頻繁にミーティングを重ねていた。ニューヨーク商工会議所はデイビッド・ロックフェラー氏が長く会頭を務めていたことでも知られる。

その後、日本商工会議所 女性会全国大会が青森市で開かれることになり、青森商工会議所女性会からぜひキャサリン・ワイルド会頭を基調講演者として招聘したいとの依頼が私に来て、これも無理だと思いながら交渉を重ねた。なんと数か月後、彼女から日本訪問が可能であるとの連絡が来た。これによって3000人の全国から集まった女性会員の前で彼女の講演が実現して、通訳は私が務めた。

これには後日談があって、日経新聞がニューヨーク商工会議所会頭の初来日のニュースをいち早くつかみ、私のところへ次のような依頼を持ってきた。その年東京では「江戸開府400年祭」という事業を東京都主催・日経協賛で開催する。ついては、東京の姉妹都市のニューヨーク代表としてワイルド会頭と東京代表の石原慎太郎東京都知事による基調講演を行いたいとの打診であった。

私は日経新聞にはいい印象がないが、その日経の専務さんは人間的に立派な方であったのと、なんとか実現したいとの懇願で一つだけ条件をつけて彼女に交渉してみると答えた。条件とは、東京講演は青森講演の後でいいかということで、彼は即「それでOKです」と答えた。

青森講演の後、私がワイルド会頭を都庁へお連れして石原都知事にご紹介した。二人は和やかにエールを交わされて、その後、会場の国際フォーラムに向かった。二人の講演の後、パネルディスカッションも行われて伊藤元重東大教授や福原義春資生堂会長などと一緒に興味深いイベントが行われた。

とくに前年の9・11事件を受け、大都市での大規模テロへのセキュリティや危機コントロールについて彼女から東京都へ助言があり、東京都には大変有意義だったと思う。ワイルドさんは現在ニューヨーク連銀で民間人として唯一理事を務めている。

③シカゴ・オリンピック招致委員会での体験

シカゴ市とはブルースを通じての青森市との交流プログラムを長く続けている経緯もあり、また日米交流プログラムを日米協会やシカゴ総領事館と一緒にアレンジしてきた関係もあって、市庁舎には訪問する機会も多く、長い付き合いの幹部も多い。そのシカゴ市が、２０１６年に開催されることになっていたオリンピックの開催都市に名乗りを上げたのである。

この時はシカゴを地盤とするオバマ大統領の時期であり、当時は長くシカゴ市長を務めていたリチャード・デイリーが音頭を取りシカゴ・オリンピック招致委員会が結成された。

私はシカゴ市とのそれまでの関係から、２０１６年、シカゴ・オリンピック招致委員会で日本人として一人だけ、オリンピック招致活動に参画することになった。この経験だけはお金ではとても買えない素晴らしいものだった。２０１１年、国際オリンピック委員会から２０１６年オリンピックの最終候補の４都市が発表になっていた。東京、マドリッド、リオデジャネイロ、そしてシカゴであった。この時はリオが最終決戦で選ばれたことはご存知だろう。

私の主な仕事は日本のメディア対応で、当時日本から取材で訪れるＮＨＫ、時事通信、共同通信、読売新聞、日経新聞など日本のメディアの取材のアシストやアレンジであった。このシカゴ・オリンピック招致委員会の本部は、シカゴ・オリンピック招致委員会会長のパトリック・ライアン氏所有の、世界でも最大手の保険販売会社Ａｏｎ（エーオン）のダウンタウンの高層本社ビルの中に設営された。このエーオンの創業会長であり一代でこの会社を築いたパトリック・ライアンという立志伝中の人物は、ＮＨＫや日経新聞の記者のインタビューをアレンジしたが、人間的にも素晴らしい人物であった。

そして、このシカゴ・オリンピック招致委員会のアンバサダー（大使）という重要な役割には、なんと１９７６年モントリオールオリンピックの体操競技で10点満点を連発して３つの金メダルを獲得、当時14歳のルーマニア代表だったナディア・コマネチと決まった。

彼女は1989年、共産国のルーマニアからアメリカに亡命してアメリカ市民権を獲得していた。

日本の大手メディアが一番喜んだのは、私がコマネチとの短いインタビューをアレンジしてあげた時だった。記者たちがいろいろ質問した後に、一人が「あなたはタケシという名前を知っているか？」と聞いた。彼女は茶目っ気たっぷりに「もちろん知っている」と答え、例の有名な格好まで披露してくれた。「タケシは私のおかげで大金を稼いだのだから私に少し寄付してもいいんじゃないかしら」と答えたのには一同大笑いであった。ナディア・コマネチはわれわれがオリンピックで見た14歳の繊細なジムナストから素晴らしく成熟した大人の女性に変貌していた。

このシカゴ・オリンピック招致委員会には、全米のオリンピックに絡む大手の弁護士事務所やコンサルティング会社から粒よりの人材が300人ほど派遣されて、世界中で招致活動を行っていた。米国オリンピック委員会（U.S. Olympic Committee）の幹部たちとそれら全米から集まった人々との交流は、私にとって得難い貴重な経験だった。

祖父、利一が１９４０年の「幻の東京オリンピック」の招致に関わって半世紀以上経ってから、孫の自分が何かの縁でシカゴ・オリンピックの招致活動に関わっている。この招致活動に関わった時は、まったく祖父の活動を知らなかったわけだが、現在これには何か偶然を超えた力があるのかもしれないと感じている。

④シカゴ国際映画祭　ガンダム原作者　富野由悠季氏招聘

このプロジェクトは、シカゴ日米協会、シカゴ国際映画祭（Chicago International Film Festival）と私どものＮＰＯ法人が一緒になって行ったものである。今は亡きシカゴ日米協会のディビッド・ガウシーとジョン・ブカチェックたちと一緒に、シカゴ国際映画祭が新たにアニメ部門を創設することになったタイミングで、誰か推薦するアニメ映画監督はいないかと相談を受けた。

われわれが何名かの当時日本アニメを代表する作家たちのリストを送った結果、ガンダムの生みの親の富野由悠季監督にアニメーション特別功労賞を授与すると決まった。そして、授賞式に合わせての富野氏の訪米が決まった。

この年のシカゴ国際映画祭は３人の受賞者を選出していたが、残りの二人はスティーブン・スピルバーグとダスティン・ホフマンで、映画少年であった富野さんもこれは嬉しかったのではないだろうか。

日本ではあまり話題にはならなかったようであるが、このようなプロジェクトでは、日本側で私たちのカウンターパートナーを務めてくれる方が大変重要となる。この時は、アニメ界で著名なプロデューサーで現在、吉備国際大学で教鞭を執っておられる井上博明さんの大きな協力によりこのイベントは成功したと言ってもいいだろう。

これ以外にもさまざまな国際交流プロジェクトを主催し、あるいは支援してきたのだが、今になってはこれらが私の祖父の山中利一のＤＮＡによるものだと思うと感慨深いものがある。

終わりに

この本を書くことになったのは、「あなたの話は日本ではほとんど聞いたことがないし、大変面白いのでぜひ本を書いてみたらどうか」というお勧めをいただいたことによる。

しかし、書き進むうちにどんどん内容が変わってきた。

2020年春先からのコロナ禍、世界的ロックダウン、アメリカでは暴動の嵐が吹き荒れた。その動きは、アメリカ建国の父ワシントンの銅像を引きずり落とすところまでエスカレートした。その一連の顛末は本書に詳しく記した。

これら民主党を支持する過激左派が行ってきたことは、「過去の歴史の修正」に他ならない。多くの共産主義国では頻繁に起きたことだった。アメリカの奴隷制度はこの国の建国以来抱えてきた宿痾だ。その当時の建国の父たちが奴隷主であったことは事実だろう。

しかし、それらの人々の銅像を破壊することで過去の歴史を否定することはできない。銅像を破壊することは解決法ではない。バイデン民主党はこれらに対して、いっさい批判をしてこなかった。つまり彼らはこのような「歴史の修正」を今後推し進める政策を進めるだろう。アメリカ国民の持つ自由を制限していく政策がいくつもとられていくことになるだろう。

アメリカの分断はすでにこの国で長く続いているが、1月6日の上下院合同会議の最中の議事堂侵入事件で、決定的にその分断は大きなものになった。バイデン大統領は、11月勝利宣言をしてからすぐに「今はHealing（癒し）がこの国に必要だ。自分は自分に投票してくれた人も、投票しなかった人のためにも国民が一体になるために働く大統領になる」と当選した政治家がよく使う常套句を語った。

しかし、この1月の議事堂の事件後起きていることは、トランプ前大統領とその支持者たちへの「政治的報復」と粛清、そして民主党支持の偏向メディアやソーシャル・メディアたちによるトランプ支持者と共和党保守派のアカウント停止はじめ、「言論の自由」の弾圧がいたるところで起きている。もし、バイデン民主党がトランプや支持者に対して胸襟を開き、一緒にこの国の問題を乗り越えようという姿勢を少しでも見せれば違った結果も出るだろう。しかし、彼らが今行っていることは「言論の封殺」とみにくい政治的報復以外の何ものでもない。

序文でも触れたが、本格的なアメリカ分裂の危機はますます近づいているというのがいつわらざる印象である。

この国の寄って立つアメリカの原点である民主と自由を体現している「合衆国憲法」の精神は、どこかに吹き飛んでしまったのか。

この本では、大勢の共産国から亡命で逃げてきた人々を「忘れられたアメリカ人」の第1章で取り上げた。家族を残して「言論の自由」や「公正な選挙」を求めてアメリカに逃れてきた人々が大勢、この国には住んでいる。今この国で起きているのは、それらの人々への裏切り行為だろう。彼らのこれら共産国では当たり前だった不正選挙や言論の弾圧に対する憤りは、凄まじいものがある。家族や多くの大切なものを残して、それらの国から逃げ出してきて「自由の国」を求めてアメリカにきた人々が今目にしているのは、過去に彼らが住んでいた全体主義国家の方向へと、一気に舵をきってきたアメリカの姿だ。

この本を書き始めた頃には漠然とコロナや暴動が起き始め、何かとんでもないことが起きているという認識があったが、まさか２０２１年になって、ここまで私が知るアメリカに対して最大の危機が訪れるとは予想もしていなかった。

そして、このアメリカが迎えている南北戦争以来と言ってもいい分断の危機は、日本にとっても他人事ではすまされない。この不安定なバイデン新政権と協力して、対中、対東アジア、対北朝鮮政策の舵取りをしていかなければならない。日本は不安定な同盟国アメリカに頼らない、まさに自主独立の国家を早急につくり上げなくてはならない。

最後に、私の長いシカゴ在住の友人であるジョン・ブカチェックに深く感謝を申し上げたい。１９８０年代からシカゴのコミニュティ・オーガナイザーとして活動し、翻訳会社を長く経営しているマルチリンガルでもある。彼のアメリカ社会への深い洞察と知見は大変貴重で、私たちは二人で幾度も議論を重ねてきた。

また、この本の執筆にあたり、多くの情報提供をしてくれた数多くのアメリカ人の友人たちにも感謝を申し上げる。

山中　泉

２０２１年初頭
シカゴ郊外にて

参考文献

「Unfreedom of the Press」（Mark R. Levin Published by Simon & Schuster, Inc. 2019発行）
「Live Free or Die」（Sean Hannity Published by Simon & Schuster, Inc. 2020）
「Blackout」（Candace Owens Published by Simon & Schuster, Inc. 2020）
「Lefturn」（Tim Groseclose PhD, Published by St. Martin's Publishing Group 2011）
「America Lost」（Christopher F. Rufo Director of this documentary film 2019）
『月刊れぢおん』2020年新年号（青森地域社会研究所）
『歴史群像』2007年6月号（株式会社学習研究社）「桜会と三月事件」
『ボクシング百年』郡司信夫　（日本スポーツ出版社）
『青森スポーツ群像』（東奥日報社）

山中 泉 ヤマナカ・セン

在米企業経営者
青森市出身。青森県立青森高校卒業後、イリノイ大学ジャーナリズム科卒業。
その後、ニューヨーク野村証券で米国株トレーダーとして勤務。
フジTVのNY株式速報コメンテーターもつとめる。
現在は、日本メーカー北米代表、IT＆情報関連企業の社外役員。
Wall Street Journal紙に日本の金融機関への見解が掲載され、
著書の『IT時代に成功するためのアメリカンビジネススタイル』(日新報道)は
紀伊國屋書店のベストセラー第7位にランクインした。
滞米30数年、シカゴ在住。米政治・社会への論評に多くの読者を持つ。
Facebook：https://www.facebook.com/profile.php?id=100052334379298
Youtube：https://www.youtube.com/channel/UCmh2oVo7ctP7Aha7yptg0Jg/
記事閲覧：ameblo.jp/sen-0077

装　丁　八田さつき
DTP　山口良二

「アメリカ」の終わり
〝忘れられたアメリカ人〟のこころの声を聞け

2021年2月26日　第1版第1刷発行
2021年5月26日　第1版第2刷発行

著　者　山中　泉
発行人　宮下研一
発行所　株式会社方丈社
〒101-0051
東京都千代田区神田神保町1-32星野ビル2階
tel.03-3518-2272／fax.03-3518-2273
ホームページ https://hojosha.co.jp

印刷所　中央精版印刷株式会社

ISBN978-4-908925-73-3